MARABOUT *PRATIQUES*

Richard BRENNAN

La méthode
Alexander

Traduit de l'anglais
par Nathalie Pacout

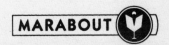

© 1992 Richard Brennan.
First published in Great Britain in 1992 by Element Books
Limited. Shaftesbury, Dorset.

Titre original: The Alexander Technique Workbook.

© 1995, **Marabout**, Alleur (Belgique), pour la traduction
française.

SOMMAIRE

Introduction 7

Pour commencer 9

La recherche commence 17

Pourquoi avons-nous besoin
de la méthode Alexander? 29

En quoi consiste la méthode Alexander 43

En quoi la découverte d'Alexander
est d'actualité 55

Pour commencer à nous aider nous-mêmes 67

Le mécanisme du mouvement 81

Les perceptions sensorielles erronées 99

L'inhibition 111

Diriger son corps 123

Les sens, les habitudes, et les choix 135

Les muscles et les réflexes 151

Les moyens et les résultats 173

Mettez votre dos au repos 181

Expériences vécues 197

«Le seul but dans la vie est d'être ce que nous sommes et de devenir ce que nous sommes capables de devenir.»

Robert Louis Stevenson

Ce livre est dédié
à tous ceux qui ont le courage
de prendre les risques nécessaires à la découverte
de leur «Moi» profond

INTRODUCTION

La méthode Alexander est une technique qui permet de soulager les tensions physiques et mentales que beaucoup d'entre nous accumulent au cours de leur vie. Souvent, nous ne sommes pas conscients de ces tensions jusqu'à ce que nous tombions malades et ne puissions réagir. Elles contribuent à nos maux de tête, nos douleurs dorsales, nos problèmes cardiaques, favorisent l'arthrite et la dépression, ainsi que des ennuis de santé trop nombreux pour être tous mentionnés. Et si nous laissons le champ libre à ces tensions musculaires inconscientes, comme c'est souvent le cas, nous nuisons à la qualité de notre vie en accélérant le processus de l'âge et la baisse de notre vitalité.

L'aisance et la grâce de nos mouvements s'atténuent peu à peu à mesure que nous alourdissons nos fardeaux et nos responsabilités. La méthode Alexander peut nous aider à retrouver notre équilibre et notre aisance d'antan, même pour les tâches les plus simples. Notre corps est ce que nous possédons de plus précieux et nous lui accordons pourtant trop peu d'attention, sauf lorsque nous voulons essayer d'être attirants. Sans nous en rendre compte, nous réprimons l'élan naturel de nos mouvements à un point tel que beaucoup d'entre nous souffrent de douleurs dorsales uniquement dues à de mauvaises postures. Rien n'est pourtant plus attirant qu'une personne ayant un bon équilibre et une bonne coordination dans ses mouvements.

Peu de gens connaissent l'existence de la méthode Alexander, et chaque année, des millions et des millions d'individus souffrent donc inutilement. Dans ce livre, j'espère expliquer la méthode Alexander le plus simplement possible et, par le biais d'exercices d'observation et de procédés faciles à accomplir, j'espère vous montrer clairement que cette méthode peut vous aider à jouir d'une vie plus heureuse et plus épanouissante.

1

POUR COMMENCER...

«L'imagination est plus importante que le savoir.»
Albert Einstein

Avant de découvrir la méthode Alexander pour votre usage personnel, il est important de suivre pas à pas les recherches qu'Alexander a faites sur lui-même, et la façon dont il a conçu sa méthode afin de la transmettre aux autres. Voici donc les étapes qui l'ont mené à sa découverte.

Un peu d'histoire

Frederick Matthias Alexander est né en Australie le 20 janvier 1869. Il a passé toute son enfance à Wynyard, une petite ville située sur la côte nord-est de la Tasmanie. Premier-né des huit enfants de John et Betsy Alexander, Frederick est né prématurément et ne devait pas vivre plus de quelques semaines. S'il a finalement survécu, c'est grâce à l'amour immense de sa mère qui, par ailleurs, était l'infirmière et la sage-femme locale.

Toute son enfance, Frederick a été perturbé par une maladie ou par une autre, et principalement par de l'asthme et autres difficultés respiratoires. Dès le début de sa scolarité, il a dû quitter l'école pour raisons de santé, et l'instituteur venait le soir lui faire la classe à domicile. Il avait ainsi tout son temps libre, dans la journée, pour être avec les chevaux de son père. Il est progressivement devenu expert dans l'art de les entraîner et de les diriger, et c'est ainsi qu'il a acquis la sensibilité tactile qui allait plus tard s'avérer d'une valeur inestimable.

A l'âge de 9 ou 10 ans, la santé de Frederick a commencé à s'améliorer, et à 17 ans, du fait des difficultés financières de sa famille, il a dû abandonner la vie au grand air qu'il aimait tellement, et se retrouver confiné dans les bureaux d'une mine d'étain, située dans la ville voisine de Mount Bischoff. Pendant ses heures de loisir, il pratiquait le théâtre amateur et le violon.

A 20 ans, il s'offre, avec ses économies, un voyage à Melbourne où il séjourne chez son oncle. En trois mois, il a dépensé tout son argent difficilement gagné en prenant ce qu'il y avait de mieux comme cours en matière de théâtre, de beaux-arts et de musique. A l'issue de ces trois mois, il a finalement décidé de devenir acteur.

Pour financer ses cours, qu'il prenait le soir et les week-ends, Frederick a pratiqué différents métiers. Il a travaillé dans une agence immobilière, dans un grand magasin, et il a même été «goûteur de thé» pour un important négociant en thé.

Il s'est rapidement forgé une excellente réputation d'acteur, et très vite, il a formé sa propre compagnie théâtrale, ayant une prédilection pour le théâtre de Shakespeare. Il aimait particulièrement *Le marchand de Venise* et *Hamlet*.

Mais peu de temps après, les troubles respiratoires qui l'avaient handicapé pendant toute son enfance ont réapparu. Sa voix devenait de plus en plus enrouée, et un soir, lors d'une représentation, il s'est même retrouvé complètement aphone. Dès lors, il hésite à accepter des engagements de peur de perdre sa voix devant le public, à un moment crucial de la pièce. Il a consulté des médecins et des spécialistes de la voix. Ils lui ont prescrit des traitements, lui ont recommandé de reposer sa voix et de faire des gargarismes. Mais ces solutions n'ont donné que des résultats temporaires.

La carrière qu'il aimait par-dessus tout se trouvait sérieusement compromise, et il était décidé à faire n'importe quoi pour arriver à se guérir. Finalement, un médecin lui a prescrit un repos complet et absolu de la voix pendant deux semaines avant le spectacle suivant. Le médecin lui avait assuré que s'il suivait à la lettre ses instructions, sa voix redeviendrait normale.

Pendant les quinze jours en question, c'est à peine si Frederick a parlé tant il était désespéré. Mais dès les premiers instants du spectacle, il a constaté que l'enrouement de sa voix avait totalement disparu. Vers le milieu de la pièce, cependant, sa voix a recommencé à dérailler, et il a eu beaucoup de mal à mener sa prestation jusqu'au bout. Quand il a compris qu'il ne pourrait jamais espérer mieux qu'un soulagement temporaire, il a été profondément peiné et désappointé, réalisant, la mort dans l'âme, qu'il ne pourrait pas poursuivre cette carrière où il s'était engagé avec bonheur et qui s'annonçait très prometteuse pour lui.

Le lendemain, il est retourné voir le même médecin, et ce dernier a renouvelé ses conseils de persévérance quant au traitement qu'il avait prescrit: «*Mais si ma voix était parfaite au début du spectacle et qu'elle s'est peu à peu détériorée au point de ne plus pouvoir parler*», a dit Frederick à son médecin, «*ne peut-on en conclure qu'au cours de la soirée, j'ai fait subir à ma voix quelque chose qui a provoqué ce trouble?*»

Le médecin a réfléchi un moment, puis il a acquiescé. Ce qui a encouragé Frederick à poursuivre: «*Mais alors, Docteur, dites-moi, qu'ai-je fait qui ait pu causer ce trouble?*» Le médecin a admis franchement qu'il n'en savait rien. «*Très bien*», a répondu Frederick, «*puisque c'est ainsi, je dois essayer de trouver moi-même de quoi il s'agit.*»

Ce dialogue entre Frederick et son médecin a été le point de départ de sa méthode. Il était intimement convaincu que si nous souffrions de maux de tête, de maux de dos, d'arthrite, d'insomnies ou d'autres troubles, il devait toujours y avoir une cause à l'origine du problème. Il appliquait la relation bien connue de cause à effet.

En ce qui le concernait, l'effet était la perte de sa voix, et il devait maintenant découvrir la cause de ce phénomène.

La mise au point
de la méthode

Vous trouverez dans le chapitre suivant une explication détaillée de la manière dont Alexander a mis sa méthode au point. En fait, il a passé plusieurs années à s'examiner minutieusement dans les miroirs pour arriver à détecter la raison exacte de l'enrouement de sa voix.

Quand il eut découvert l'origine de son problème, la nouvelle de son auto-guérison se répandit comme une traînée de poudre, et de nombreux acteurs et orateurs vinrent lui demander conseil. Il a rapidement réalisé qu'il pouvait aider efficacement les autres à enrayer leurs troubles, nombreux et variés.

Bien qu'il ait alors repris sa carrière d'acteur, il commença également à enseigner sa méthode sur un plan professionnel. A cette époque, son plus jeune frère vint se joindre à lui et, ensemble, ils mirent au point des techniques qui complétèrent la méthode. Les deux frères ont travaillé ensemble pendant environ six ans, enseignant leur méthode à Sydney et à Melbourne.

A mesure que s'affinait la méthode, le contrôle de la voix s'est étendu au contrôle de toutes les réactions du corps. Plusieurs médecins ont commencé à parler à leurs patients des frères Alexander. L'un d'entre eux, le docteur J. W. Stewart McKay, un des plus grands chirurgiens de Sydney, a persuadé Frederick d'aller à Londres pour proposer sa méthode à un plus large public.

Il a définitivement quitté l'Australie au printemps 1904 et, avec pour seule référence une lettre d'introduction du docteur McKay, il a ouvert un cabinet dans Victoria Street, puis s'est installé au 16, Ashley Place, en plein centre de Londres.

Alexander a eu peu de difficultés à divulguer sa méthode, et il est devenu un personnage-culte. Il a donné des cours aux personnes les plus en vue de l'époque, parmi lesquelles George Bernard Shaw, Aldous Huxley, Sir Henry Irving (acteur), Sir Charles Sherrington (prix Nobel de physiologie et de médecine), et le professeur E. Coghill (anatomiste et physiologiste).

Il a poursuivi son travail à Londres jusqu'à ce qu'éclate la guerre de 1914. Il s'est alors embarqué pour les États-Unis afin de dispenser sa méthode outre-Atlantique. A cette époque, il passait six mois en Angleterre, et six mois aux États-Unis.

En 1925, il s'est installé à Londres et a créé une école pour enseigner sa méthode aux enfants. Alexander a transféré cette école à Bexley, dans le Kent, en 1934.

L'enseignement
de la méthode Alexander

Quand il a eu 60 ans, Alexander a créé une école d'enseignement de sa méthode, pour former des éducateurs. En 1931, il a créé la première école d'enseignement de la méthode Alexander, à son domicile d'Ashley Place. Il a continué à donner des cours jusqu'à sa mort, en octobre 1955.

Depuis, sa méthode est devenue célèbre dans le monde entier, et de plus en plus de gens se tournent vers elle dans l'espoir de trouver une solution à leurs problèmes.

2

LA RECHERCHE COMMENCE...

«Tout enseignement n'est affaire que de souvenirs.»

Socrate

Il est important de se rappeler que c'est la passion débordante d'Alexander pour le théâtre qui lui a donné son infaillible détermination pour l'accomplissement de sa tâche, malgré les nombreux écueils lui ayant barré la route.

L'histoire qui va suivre est le récit d'une exploration, d'un voyage important accompli par un individu à la découverte de son moi intérieur et des mécanismes humains en général. Ce voyage est complexe, et peut-être allez-vous devoir relire ce chapitre deux ou trois fois pour bien assimiler le mode de pensée d'Alexander et les principes de base qui étayent sa méthode.

Tous ces principes sont expliqués en détail au cours de ce livre, et je vous conseille donc de relire encore ce chapitre quand vous aurez fini le livre.

«Si vous faites ce que j'ai fait, vous serez capable de faire ce que je fais.»

Frederick Matthias Alexander

Après son entretien avec son médecin, Alexander se trouvait avec deux informations en main: la première était que l'enrouement de sa voix se produisait lorsqu'il récitait un texte, et la deuxième était qu'en reposant sa voix ou lors des conversations ordinaires, l'enrouement disparaissait.

Le voyage était commencé. Il a d'abord commencé à s'observer minutieusement devant la glace en train de parler normalement et en train de réciter Shakespeare. Il a renouvelé l'expérience un grand nombre de fois et, tandis qu'il ne remarquait rien de spécial quand il parlait d'une voix ordinaire, trois choses lui sont apparues alors qu'il récitait un texte:

1. Il avait tendance à projeter la tête en arrière pendant qu'il déclamait.

2. Il comprimait ainsi son larynx (la partie de la gorge qui contient les cordes vocales).

3. Il avalait alors de l'air par la bouche, ce qui provoquait chez lui une sorte de halètement.

Après avoir noté ces tendances, il s'est regardé de nouveau en train de parler normalement, et il s'est rendu compte qu'il faisait exactement la même chose, mais à un degré moindre. Une fois qu'il eut remarqué cette différence notable entre ses deux modes d'expression, il comprit qu'il tenait là un indice sérieux pouvant expliquer les choses; et cela l'a encouragé à poursuivre son exploration.

L'étape suivante était de découvrir un moyen de prévenir cette fâcheuse tendance, ou de la modifier, mais il se sentait perdu dans un dédale de possibilités. Il s'est alors posé les questions suivantes:

1. Était-ce le fait d'aspirer de l'air par la bouche qui le faisait rejeter la tête en arrière et ainsi comprimait son larynx?

2. Était-ce le fait qu'il rejette la tête en arrière qui comprimait son larynx et l'obligeait à aspirer de l'air par la bouche?

3. Était-ce la compression du larynx qui l'amenait à aspirer l'air par la bouche et lui faisait rejeter la tête en arrière?

A ce moment-là, il était incapable de répondre à ces questions, aussi a-t-il patiemment poursuivi ses observations devant la glace. Au bout de quelques mois, il s'est rendu compte qu'il ne pouvait maîtriser ses aspirations d'air par la bouche, mais que par contre, dans une certaine mesure, il pouvait influer sur le rejet de sa tête en arrière. Cela lui a ouvert une voie très importante: quand il parvenait à éviter de rejeter la tête en arrière, indirectement, il avait moins tendance à aspirer de l'air, ce qui soulageait la compression de son larynx.

Il a alors inscrit dans son journal la réflexion suivante:

«L'importance de cette découverte est inestimable car elle m'a fait prendre conscience du contrôle originel sur le fonctionnement de tous les mécanismes de l'organisme humain, ce qui a marqué une étape capitale dans mes investigations.»

Il me semble important d'interrompre pour l'instant le cheminement d'Alexander pour clarifier ce qu'il voulait dire par «contrôle originel».

Le «contrôle originel»

Le «contrôle originel» est ce qui organise le fonctionnement du corps humain. Il dirige le fonctionnement de tous nos mécanismes et rend ainsi comparativement simple le contrôle de notre organisme humain complexe. Il s'agit de la relation dynamique entre notre tête et le reste de notre corps, souvent qualifiée de «relation tête-cou-dos». Il est important de souligner que cette relation n'indique pas une position, mais plutôt une liberté de ces parties du corps les unes par rapport aux autres.

Dès lors que le «contrôle originel» est gêné dans son fonctionnement, cela peut entraver le fonctionnement des autres réflexes dans tout le corps et provoquer un manque de coordination et d'équilibre. On peut remarquer cela sur les chevaux. Quand un cavalier désire arrêter son cheval, il tire en arrière la tête de l'animal avec les rênes. Le cheval perd instantanément toute coordination et, très vite, il s'arrête et se tient tranquille. On peut aussi le remarquer sur les chats. Si vous inclinez gentiment la tête d'un chat vers l'arrière, ou si vous le prenez par la peau du cou comme le font les femelles avec leurs petits, l'animal ne peut plus fonctionner normalement, tant qu'il n'a pas rétabli le contrôle sur sa tête, son cou et son dos, les uns par rapport aux autres.

Après sa découverte initiale du «contrôle originel», Alexander a remarqué que lorsqu'il pouvait éviter le mouvement incorrect de sa tête et donc la compression de son larynx, l'enrouement de sa voix diminuait d'autant. A la suite de cela, quand il est de nouveau allé consulter son médecin pour qu'il l'examine, ce dernier a constaté une amélioration considérable de l'état de ses cordes vocales et de son larynx. Cela a confirmé ce qu'il supposait: par la façon dont il «s'utilisait» lui-même, il entravait le fonctionnement de sa respiration et de sa voix. (Alexander était extrêmement précis dans le choix de ses mots et de ses phrases pour expliquer ses nouvelles découvertes. Par exemple, le terme «s'utiliser soi-même» peut sembler étrange, mais il est plus correct que l'expression «utiliser son corps», puisque ce dont il parle, c'est d'une relation entre le corps et l'esprit.)

Voici donc quelle a été sa seconde observation majeure:

La façon dont il «s'utilisait lui-même» influait directement sur sa performance.

Après avoir réfléchi quelque peu sur ce point, il a conclu que s'il s'obligeait à projeter la tête vers l'avant, il pouvait influer sur le fonctionnement de sa voix et même éliminer son enrouement. Cependant, il a remarqué qu'au bout d'un moment, il ne pouvait s'empêcher de rejeter de nouveau la tête en arrière.

Il a longtemps renouvelé l'expérience et cela l'a amené à réaliser qu'en utilisant sa tête et son cou de cette manière, c'est-à-dire projetés vers l'avant, il avait tendance à relever la poitrine, et que cela raccourcissait sa stature. Les implications de cette découverte ont été pour lui d'une grande portée, comme nous allons le voir maintenant.

L'observation suivante a donc été:

Projeter la tête en avant ou en arrière affectait toute sa structure.

Il a poursuivi ses expériences et il a remarqué que sa tendance à relever la poitrine accentuait la courbe de sa colonne vertébrale, ce qui, finalement, raccourcissait son dos. Il en a donc conclu que:

La mauvaise utilisation qu'il avait remarquée ne concernait pas seulement une ou plusieurs parties de son être (comme il l'avait d'abord supposé), mais son être tout entier.

Il a ensuite examiné l'effet de sa posture sur sa voix, selon qu'il s'étirait ou se tassait sur lui-même. Il a découvert que les meilleurs résultats (c'est-à-dire quand sa voix était le moins enrouée), il les obtenait en s'étirant et en se tenant bien droit. En faisant l'expérience, cependant, il a remarqué qu'il avait plus souvent tendance à se tasser qu'à s'étirer. En cherchant une explication à cela, il a vu qu'il avait tendance à mettre la tête trop en arrière ou trop en avant. Il en a donc conclu que pour garder une silhouette élancée:

Il devait regarder vers l'avant, se tenir droit, la tête bien droite.

Alexander a cru qu'il avait enfin résolu son problème, mais ce n'était pas encore le cas. Quand il déclamait un texte, il a remarqué qu'en essayant de regarder devant lui et de garder la tête bien droite, il continuait à lever la poitrine, donc à courber sa colonne vertébrale et à raccourcir son dos. Il a alors compris que ce qu'il faisait effectivement, et ce qu'il pensait faire, étaient deux choses différentes.

A ce stade de ses investigations, il a décidé de placer deux autres miroirs de part et d'autre du premier. Grâce à cela, il a pu vérifier la justesse de ses suppositions. En essayant de se tenir bien droit et de réciter son texte en même temps, il continuait à projeter la tête en arrière (et non la garder droite comme il le voulait). Il s'était juste laissé abuser par ce qu'il a appelé plus tard une «perception sensorielle erronée».

La perception sensorielle erronée

◆ ◆ ◆

En termes simples, cela signifie que le système qui nous permet de percevoir notre présence physique dans l'espace et sur la terre peut parfois être trompeur. Cela peut également s'appliquer à la relation entre une partie de notre corps et une autre. Comme Alexander, ce que nous avons l'impression de faire peut être à l'opposé de ce que nous faisons effectivement. C'est probablement le plus gros piège quand on étudie la méthode Alexander. Je reviendrai plus loin sur la question.

A cette période, Alexander se sentait très perturbé. Même s'il avait localisé la cause du problème et pensait avoir trouvé le remède, il était incapable de l'utiliser car il ne pouvait agir comme il avait l'intention de le faire. Il a soigneusement fait le point de la situation et il a décidé qu'il n'y avait rien d'autre à faire que de persévérer.

Il a continué ses expériences pendant des mois et des mois, et a connu à la fois des échecs et des succès. Il a constaté qu'il avait de nombreuses tensions musculaires injustifiées, particulièrement dans les jambes, les pieds et les orteils. Ses orteils étaient contractés et recourbés vers l'intérieur du pied, ce qui donnait à ces derniers une allure arc-boutée et faisait peser tout le poids de son corps sur les côtés de ses pieds. Cela avait naturellement une incidence néfaste sur tout son équilibre. Alexander avait la conviction que la perte de sa voix était indirectement liée aux tensions musculaires anormales de ses jambes et de ses pieds.

La direction à prendre

Alexander a pris conscience peu à peu du fait qu'il avait mal orienté ses efforts jusqu'alors. Il s'est demandé: «Quelle direction ai-je prise jusqu'à maintenant?» Il a dû admettre qu'il n'avait jamais réfléchi à la façon de se diriger lui-même, mais s'était «utilisé» d'une manière qui lui semblait naturelle.

Il a alors marqué un temps d'arrêt afin d'examiner les informations qu'il avait déjà acquises. Voici les différents points qu'il a notés:

1. Ses mouvements de tête en arrière, alors qu'il pensait la tenir bien droite, étaient manifestement mal dirigés et cette mauvaise direction était liée à ses impressions trompeuses.

2. Cette mauvaise direction était inconsciente et, associée à ses impressions trompeuses, faisait partie intégrante de son «utilisation» habituelle de lui-même.

3. Cette mauvaise direction inconsciente, menant à une mauvaise «utilisation» habituelle de lui-même, notamment une mauvaise utilisation de sa tête et de son cou,

l'amenait à se servir incorrectement de sa voix. En d'autres termes, cette mauvaise direction était une réaction instinctive à sa manière d'utiliser sa voix.

L'étape suivante a été de découvrir quelle direction serait favorable à une nouvelle et meilleure utilisation de sa tête et de son cou, influant donc sur son larynx, sa respiration et les autres mécanismes de son corps.

Alexander s'est rendu compte que s'il voulait réagir de manière satisfaisante en utilisant sa voix, il devait remplacer ses anciennes habitudes instinctives (non raisonnées) en une nouvelle utilisation consciente (raisonnée) de lui-même. En récitant des textes, il s'est mis à se «diriger» lui-même consciemment de manière à corriger ses anciennes habitudes inappropriées. Il a immédiatement été confronté à une série d'expériences étonnantes et inattendues:

1. Il n'a pas trouvé de délimitation claire entre les directions raisonnées et les non-raisonnées.

2. Il arrivait à mieux s'utiliser lui-même jusqu'au moment où il s'agissait de parler. Là, ses anciennes habitudes revenaient.

3. Dès qu'il essayait d'atteindre son but (réciter), ses habitudes inconscientes prenaient le dessus sur les ordres qu'il s'intimait.

Alexander était extrêmement déçu de ces constatations. Bien qu'il ait compris beaucoup de choses grâce à ses expériences, il semblait toujours incapable de modifier sa manière de s'utiliser lui-même lorsqu'il récitait un texte. Exaspéré, il a renoncé à vouloir «faire» quoi que ce soit pour atteindre son but, et finalement, il s'est rendu compte que s'il devait jamais réussir à contrôler ses habitudes instinctives inconscientes, il devait en premier lieu refuser de «faire» quoi que ce soit en réponse immédiate au stimulus de la parole. Il a appelé cela «l'inhibition».

L'inhibition

Il a réalisé qu'en renonçant à essayer de faire quoi que ce soit, et en pensant seulement à la manière de se diriger, il avait atteint ce à quoi il aspirait depuis des années. En d'autres termes, en pensant simplement à regarder devant lui, la tête bien droite, il empêchait les mouvements néfastes de sa tête en avant ou en arrière, ce qui lui permettait en retour d'avoir une stature élancée, produisant un effet bénéfique sur son larynx et ses cordes vocales.

Voici les notes qu'il a prises à cette époque:

«Après avoir travaillé très longtemps sur cette question, j'ai fini par me libérer de ma tendance fâcheuse à toujours reprendre mes mauvaises habitudes pendant que je récitais un texte. En constatant les effets de cela sur ma manière de fonctionner, j'ai eu la conviction que j'étais sur la bonne voie. Enfin libéré de cette tendance, j'ai été aussi libéré des troubles de la gorge et de la voix, ainsi que des difficultés nasales et respiratoires dont j'avais souffert pendant toute mon enfance.»

Ainsi, comme il arrive très souvent, Alexander avait buté presque accidentellement sur une information cruciale concernant le fonctionnement du corps, et notre manière d'interférer dans un grand nombre de nos mécanismes, sans même avoir conscience de le faire. Quand Alexander a remarqué pour la première fois qu'il intervenait dans les réflexes de son corps en projetant sa tête en avant ou en arrière, il s'est dit qu'il s'agissait seulement d'une tendance personnelle. Mais plus tard, en enseignant sa méthode aux autres, il a compris qu'en fait, ce type d'interférences étaient commun à l'ensemble de l'humanité.

3

POURQUOI AVONS-NOUS BESOIN DE LA MÉTHODE ALEXANDER

«Que ce soit sur le plan physique, mental ou spirituel, nous transférons tout en tensions musculaires.»

Frederick Matthias Alexander

La méthode Alexander est un moyen très simple, et pourtant très efficace, de prendre davantage conscience de son équilibre, de ses positions et de la coordination de l'ensemble du corps lors de toutes les activités quotidiennes. Elle nous permet, par conséquent, de prendre davantage conscience de la tension musculaire excessive que la plupart d'entre nous déploient dans leur corps. Ces tensions non détectées s'installent progressivement au fil des ans et finissent par provoquer des douleurs, des sensations de rigidité et même des déformations, que nous acceptons comme étant le lot incontournable de l'âge.

Figure 1 : La façon dont nous nous tenons debout ou dont nous nous asseyons peut provoquer de nombreuses tensions dans nos muscles, sans que nous nous en apercevions.

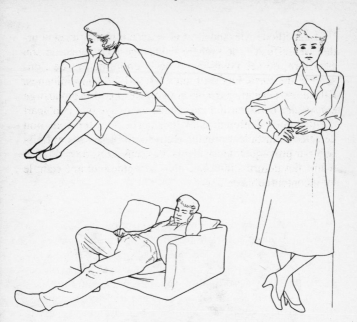

Au début, il est difficile de comprendre que ces détériorations, considérées comme naturelles, ne sont ni normales ni inévitables. Et comme nous avons tendance à croire que nos maux et nos douleurs sont dus à «l'usure» naturelle infligée par le temps, nous faisons peu d'efforts pour leur trouver un remède. Nous prenons le parti d'ignorer ces tracas et de ne pas nous interroger sur leur existence. Et lorsque le médecin nous répond: «*Mais qu'espérez-vous à votre âge?*», cela confirme simplement ce que nous pensions déjà.

Un grand nombre de nos maux viennent directement d'une mauvaise position habituelle, et pourraient être évités si nous utilisions notre corps d'une manière correcte tout au long de notre vie. La douleur est le dernier recours de la nature. Elle nous informe que quelque chose ne va pas. Pourtant, il existe un grand nombre de signes plus précoces, mais nous n'en sommes pas conscients ou les ignorons. Et même lorsque nous souffrons beaucoup, au lieu d'écouter ce que notre corps essaye de nous dire, nous avons tendance à faire taire les symptômes en avalant toutes sortes de pilules antidouleur. (Il est évident que ce type de médications a sa place, mais dans nos sociétés, elles sont généralement hâtivement prescrites.)

Nous devons nous demander ce qui, dans nos sociétés modernes, provoque en nous tant de souffrances physiques. Nous devons donc prendre conscience de notre manière de nous asseoir, de nous tenir debout ou de nous déplacer, de façon à soulager nos maux et nos douleurs.

Nous avons rarement une bonne position. La façon dont nous nous tenons est le résultat d'une accumulation d'expériences passées dans la vie, aussi bien physiques qu'émotionnelles ou mentales. Nous sommes piégés par certaines positions, les reproduisant constamment, sans réaliser qu'elles ne sont pas naturelles et peuvent déboucher, par la suite, sur des ennuis de santé. Un bon exemple en est la dépression nerveuse. Il est aisé de voir à quel point les troubles mentaux peuvent entraîner un effondrement physique de la personne. Les malades ont tendance à se replier physiquement sur eux-mêmes, à se tasser, alors que s'ils se tenaient debout ou s'asseyaient d'une manière bien droite et bien équilibrée, ils souffriraient certainement moins de leur dépression.

Les raisons pour lesquelles nous changeons de positions avec l'âge

◆ ◆ ◆

- Les nombreuses heures passées assis à l'école.
- Le manque d'exercice plus tard.
- Nos réflexes de peur constamment stimulés.
- La vitesse à laquelle nous devons souvent accomplir les tâches.
- Les attitudes uniquement dictées par le but à atteindre.
- Le manque d'intérêt pour l'instant présent.
- La création d'habitudes, aussi bien physiques que mentales.

Les nombreuses heures passées assis à l'école

Dans les premières années, un enfant bouge et se déplace de manière libre et naturelle. En observant les positions d'un enfant de 4 ans et celles d'un adolescent de 16 ans, vous remarquerez des différences évidentes et surprenantes. L'enfant de 4 ans se tient souvent plus droit, d'une manière naturelle et sans effort, tandis que l'adolescent a plutôt tendance à se voûter ou se tasser et, afin de garder une apparence droite en étant debout ou assis, il force généralement sur le bas du dos. Ce qui entraîne à la longue un raccourcissement de toute sa structure.

Ce processus commence au bout de quelques mois d'école. Tout enseignant dans le primaire vous dira que les enfants ne veulent pas rester tranquillement assis. Toutefois, c'est la seule façon de maintenir l'ordre dans la classe étant donné le nombre d'élèves par rapport aux enseignants. Rester assis pendant une courte période: très bien, surtout quand c'est l'enfant qui le décide lui-même, mais en gran-

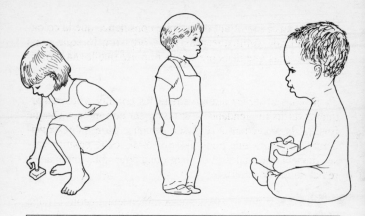

Figure 2 : L'équilibre et la grâce de nos mouvements quand nous étions petits.

dissant, les enfants passent de plus en plus d'heures assis dans la journée. A l'adolescence, les enfants peuvent passer jusqu'à dix heures assis dans une même journée, si l'on compte le temps consacré à faire les devoirs et les heures passées devant la télévision.

C'est nocif pour deux raisons:

a) Garder le corps immobile pendant un long moment provoque une fatigue musculaire et impose donc une tension excessive à de nombreux muscles, et

b) le design des sièges ne tient généralement pas compte des mécanismes du corps humain. La tendance naturelle de chacun est de s'écrouler sur une chaise ou dans un canapé.

Il est aussi important de prendre conscience que la colonne vertébrale subit une plus forte pression lorsque nous sommes assis que dans presque n'importe quelle autre position.

Si vous observez attentivement les enfants, vous remarquerez qu'ils ont tendance à se tasser sur eux-mêmes chaque fois qu'ils se mettent à rêvasser. A cause du nombre considérable d'heures que nous passons assis, cette position tassée devient «normale» et devient donc pour nous une manière habituelle de nous tenir.

La plupart des enfants, qui commencent l'école à l'âge de 5 ans et la quittent à 18 ans, seront vraisemblablement restés assis plus de quarante mille heures pendant cette période, soit plus de la moitié de leur vie éveillée.

Figure 3 : Les nombreuses heures où nous sommes penchés sur nos cahiers peuvent sérieusement affecter, plus tard, nos postures et notre respiration.

Le manque d'exercice plus tard

Le manque d'exercice dû aux longues stations debout ne s'arrête pas dès lors que nous avons quitté l'école. J'ai posé à quatre cents personnes, de milieux différents, la question suivante: «En une journée, combien de temps, en moyenne, passez-vous assis?» Les réponses se sont échelonnées entre quatre et quatorze heures, avec une moyenne d'environ neuf heures.

C'est parce que nous sommes trop peu nombreux à utiliser nos muscles au maximum de leurs capacités que nous perdons progressivement notre souplesse jusqu'à finalement, au troisième âge, être pratiquement incapables de bouger. Pourtant, à l'âge de 85 ans, Alexander pouvait facilement rester en équilibre sur une jambe pendant qu'il faisait passer l'autre au-dessus d'une chaise, un exercice que beaucoup de personnes, à la trentaine, trouvent difficile.

Nos réflexes de peur constamment stimulés

Tout au long de notre enfance, et également à l'âge adulte, nous vivons tous des expériences qui nous font nous replier sur nous-mêmes. Par exemple, être réprimandé par ses parents, ses professeurs, puis ses employeurs, être ridiculisé par ses congénères, et être rejeté par ses amis ou les êtres chers. Si ces expériences se reproduisent fréquemment, elles peuvent nous conduire à une introversion excessive, et nous adoptons finalement des postures qui reflètent notre attitude défensive. Et nous gardons l'habitude d'adopter ces postures longtemps après que leur cause originelle a cessé. Une attitude défensive, le dos arrondi et les épaules voûtées, un tassement du torse ou une tension excessive des muscles du cou, est facile à identifier.

La vitesse à laquelle nous devons souvent accomplir nos tâches

Nous avons souvent un temps limité pour accomplir beaucoup de nos tâches, et bien plus, en tout cas, que les générations passées. Cela mène incontestablement à l'anxiété et à la tension, et si nous y sommes trop souvent confrontés, cela nous mène à adopter certaines postures.

Les attitudes uniquement dictées par le but à atteindre

En parlant de «l'homme civilisé», Alexander disait que chacun de ses actes n'était effectué que dans l'optique d'un but à atteindre. Il voulait dire par là que nous nous intéressons davantage au résultat final qu'aux moyens d'y arriver. A cause de cela, même en accomplissant les tâches les plus simples, nous nuisons sérieusement à nos attitudes corporelles et à notre coordination. Il est presque incroyable de constater la force physique énorme que déploient des êtres humains intelligents, en accomplissant des actes aussi simples que se tenir debout, simplement parce qu'ils s'intéressent plus au résultat final qu'à la façon dont ils pourraient accomplir telle ou telle activité. Si l'on n'y prend pas garde, cela peut provoquer, plus tard, des problèmes pour bien se mouvoir.

Un manque d'intérêt pour l'instant présent

Notre manque d'intérêt pour l'instant présent est principalement dû à la façon dont nous avons l'habitude d'envisager l'avenir. La société nous encourage à vouloir toujours plus, nous projetant vers le futur et ses promesses encore plus alléchantes. Par exemple, des mois avant Noël, nous sommes assaillis de publicité concernant cette fête, et des mois avant les vacances, on ne nous parle que des régimes pour pouvoir nous mettre en maillot de bain sur la plage. Ainsi, pendant des années, nos attitudes changent sans même que nous le remarquions.

La création d'habitudes, aussi bien physiques que mentales

Nous prenons tous des habitudes, aussi bien dans nos gestes que dans nos pensées, la plupart n'atteignant pas le seuil de notre conscience. Nous nous sentons confortablement installés dans ces habitudes et nous avons donc du mal à en changer puisque les autres comportements nous sont étrangers. Mais ces habitudes peuvent déséquilibrer tout notre organisme et nous adoptons rapidement des positions rigides, nous limitant à une posture ou à une autre.

On peut dire qu'une «bonne posture» est une posture qui varie constamment selon les différentes humeurs et les différents mouvements du corps, tandis qu'une «mauvaise posture» est très peu mobile.

Voici quels peuvent être les effets d'une posture rigide:

- **UNE RESPIRATION FAIBLE:**
  Cela finit naturellement par affecter tout le système puisque tous les organes du corps ont besoin d'oxygène.

- **UNE FATIGUE EXCESSIVE:**
  L'effort constant que nous produisons pour nous maintenir dans une posture donnée épuise notre énergie qui pourrait être employée à faire les choses que nous aimons.

- **LE STRESS:**
  Tout notre système étant sous tension permanente, cela finit pas se transformer en douleurs.

• L A   D É P R E S S I O N :

Il est bien connu que de nombreuses personnes souffrant de dépression adoptent une posture tassée et voûtée.

A ce stade, il est important de noter qu'une meilleure position découle de la pratique de la méthode Alexander, mais n'est pas, contrairement à ce que croient la plupart des gens, une fin en soi. En libérant notre corps de ses tensions musculaires, les muscles qui gouvernent nos postures ont une chance de refonctionner normalement, nous faisant ainsi bénéficier de nouveau des postures naturelles et de l'aisance des mouvements que nous avons perdue dans notre enfance.

Dès l'âge de 5 ou 6 ans, nous amorçons la pente descendante, et vers 9 ou 10 ans, le processus est déjà bien entamé. Un psychologue pour enfants peut évaluer le stress de ces derniers rien qu'en observant la façon dont ils se tiennent. L'attitude défensive d'un enfant contre ce monde hostile s'inscrit dans ses muscles, et la graine des ennuis de santé futurs est déjà semée.

On le voit ensuite chez l'adulte à son dos arrondi et ses épaules voûtées. Beaucoup de maladies et de petits maux courants sont causés ou aggravés par les tensions que nous produisons à l'intérieur de nous-mêmes.

Le prix à payer d'une mauvaise utilisation de notre corps est cher, non seulement pour nous-mêmes, personnellement, mais aussi pour la communauté. Les pertes annuelles de productivité uniquement dues aux douleurs dorsales coûtent des millions et des millions, et les caisses de maladie sont incapables de subvenir aux demandes toujours croissantes que les douleurs dorsales génèrent. Les médecins sont assaillis de patients souffrant de ce problème. Il est évident que le mal de dos est un fléau qu'il faut sérieusement reconsidérer, mais malheureusement, nous manquons de bon sens dans de nombreux domaines de notre vie. S'il vous arrivait de rentrer

un jour chez vous et de voir que de l'eau s'écoule du plafond, vous ne vous contenteriez pas de recoller une bande de
papier peint sur la fuite, mais chercheriez avant tout son origine pour éviter que le problème ne s'aggrave. Pourquoi
alors, dès qu'il est question de notre santé, nous attachons-
nous aveuglément aux symptômes et cherchons-nous rarement à déterminer leur véritable cause?

La réponse est simplement que nous ne savons pas par
où commencer, et c'est là que la méthode Alexander entre en
jeu.

EN QUOI CONSISTE LA MÉTHODE ALEXANDER

«Tout homme, toute femme ou tout enfant détient en lui-même la possibilité de la perfection physique. Reste à chacun d'entre nous à l'obtenir grâce à une compréhension et un effort personnels.»

Frederick Matthias Alexander

Voici en quoi la méthode Alexander va vous aider:

- à bouger avec plus d'aisance;
- à devenir plus conscient de vous-même: physiquement, psychologiquement, et sur le plan des émotions;
- à prévenir les dommages causés à votre corps;
- à détecter en vous les tensions musculaires excessives, et à vous enseigner comment vous les générez;
- à ne plus gâcher inutilement votre énergie et à trouver de nouvelles façons de vous mouvoir plus efficacement, et éviter ainsi une fatigue inutile à la fin de la journée;
- à reconnaître vos modes de comportement et à les changer si vous le souhaitez;
- à devenir plus conscient de votre manière habituelle d'agir, vous permettant ainsi d'avoir le choix de prendre des décisions plus appropriées;
- à retrouver cette grâce dans les mouvements que vous adoptiez, enfant;
- à être vraiment libre.

Bouger avec plus d'aisance

En appliquant les principes indiqués plus loin dans ce livre, vous allez pouvoir soulager vos tensions habituelles et ainsi vous mouvoir d'une manière très différente. Vous accomplirez ainsi plus aisément beaucoup de vos activités quotidiennes, ce qui vous permettra de jouir plus pleinement de la vie. Cela aura aussi un effet sur votre entourage. Votre nouveau bien-être pourra rejaillir sur vos proches. J'entends souvent des commentaires tels que celui-ci: «*Depuis que mon mari a pris des cours sur la méthode Alexander, il est beaucoup plus agréable à vivre*», ou «*Je me sens beaucoup plus calme et détendue depuis que je pratique la méthode Alexander.*»

Par de multiples façons, nous nous rendons la vie plus difficile qu'elle n'a réellement lieu d'être. Nous percevons cela chez les autres, mais ne le voyons pas aussi facilement chez nous-mêmes. La vie peut rapidement devenir une vraie joie plutôt qu'une lutte, comme c'est le cas pour un si grand nombre d'entre nous.

Devenir plus conscient de vous-même: physiquement, psychologiquement et sur le plan des émotions

C'est la première étape à franchir sur le chemin du changement. Quand vous commencez à être plus conscient de vous-même, vous êtes surpris des efforts qu'il vous fallait déployer auparavant pour accomplir des actes tout simples. Par exemple, on peut sérieusement s'endommager le dos rien que par la façon de ramasser quelque chose par terre. La raison pour laquelle nous ne remarquons pas ce stress infligé à notre corps est qu'il augmente imperceptiblement tout au long de la journée. Et à la longue, cette tension accumulée finit par interférer dans la coordination naturelle et les réflexes de notre corps.

Notre corps, et notre façon de nous mouvoir finissent par affecter tour à tour notre bien-être mental et émotionnel. De même, notre façon d'éprouver des sensations et de réfléchir influe sur notre manière d'accomplir nos activités quotidiennes. Il se crée alors un cercle vicieux qui réduit notre capacité à jouir de la vie.

Prévenir les dommages causés à votre corps

Une mauvaise coordination des mouvements entraîne un effort constant sur le système musculaire et articulaire. L'année dernière, par exemple, un journal a cité le cas d'une Américaine qui, à son arrivée à l'aéroport de Londres, avait loué une voiture pour se rendre à Bristol. Mais jamais de sa vie elle n'avait conduit de voiture où il fallait changer les vitesses, elle ne connaissait que les boîtes automatiques. Elle a donc parcouru les 180 kilomètres en première! En arrivant à Bristol, elle s'est plainte auprès de la société de location que la voiture était très lente et très bruyante.

Naturellement, comme cette personne ne savait pas conduire correctement la voiture, le moteur et la boîte de vitesse ont été soumis à rude épreuve pendant tout le trajet, ce qui a probablement causé des dommages irréversibles.

De la même manière, si nous «n'utilisons» pas notre corps comme la nature l'a prévu, (et c'est le cas d'un grand nombre de personnes aujourd'hui), nous pouvons, sans nous en rendre compte, lui infliger des dommages irréversibles qui se manifesteront plus tard dans la vie. Mieux vaut ne pas oublier que l'on peut toujours changer de voiture quand elle est usée, mais pas de corps.

Détecter et soulager
les tensions musculaires excessives

En devenant peu à peu conscient de vous-même, vous commencerez à remarquer les tensions musculaires dont je parle. Certains muscles se contractent de plus en plus tandis que d'autres, au contraire, sont trop détendus. Ce processus se déroule sur de nombreuses années et finit par affecter la structure physiologique des muscles: en réalité, leur taille diminue, ce qui explique pourquoi tant de personnes âgées ont l'air d'avoir «rétréci».

La plupart d'entre nous ignorent complètement les effets de ce processus sur le corps, jusqu'à l'apparition des premières douleurs. Quand notre corps commence à manifester une usure quelconque, nous allons consulter un médecin en espérant de lui des réponses qu'il est incapable de nous fournir.

Nous nous demandons rarement:

«Que me fais-je à moi-même qui puisse être la cause de cette douleur?»

Si nous pouvions trouver la réponse à cette question, nous arrêterions de faire la chose en question et la douleur disparaîtrait naturellement et rapidement. Cependant, comme il faut des années pour que la tension excessive se transforme en douleur, sa cause originelle est difficile à détecter, car souvent très lointaine. Nous sommes tellement habitués à certains niveaux de stress dans notre corps que nous les acceptons comme faisant partie de nous-mêmes.

Arriver à se débarrasser de ce stress se fait relativement facilement une fois que l'on a pris conscience de ses causes.

Conserver toute son énergie en découvrant de nouvelles façons de se mouvoir

La méthode Alexander va vous aider à vous arrêter pour réfléchir avant d'accomplir vos actes. Cela va vous permettre de mener vos activités d'une manière plus efficace, sur le plan des mouvements. En d'autres termes, de les mener à bien en produisant moins d'efforts. Cela vous permettra ainsi d'avoir plus d'énergie pour les choses que vous désirez faire. Vous ferez l'expérience d'une plus grande vitalité, ce qui améliorera votre vie. Les jeunes enfants semblent avoir des réserves d'énergie inépuisable. C'est parce qu'ils utilisent leur corps d'une manière coordonnée et ne gâchent pas leur énergie inutilement comme le font la plupart des adultes.

Reconnaître et modifier
vos modes de comportement

Comme nous l'avons dit, nous développons tous, au cours de notre vie, des modes de comportement sur les plans physique, mental et émotionnel. Les autres sont souvent plus conscients que nous-mêmes de ces modes de comportement. Nous réagissons à ce qui nous arrive d'une certaine façon, sans nous préoccuper de savoir si elle est appropriée à la situation ou pas. Comme beaucoup de ces modes de comportement échappent à notre conscience, nous les reproduisons constamment, sans nous rendre compte de ce que nous faisons.

La méthode Alexander va vous permettre de percevoir ces tendances comportementales habituelles et de les modifier si elles sont au détriment de votre bien-être. Les implications ont une grande portée car vous aurez une plus grande liberté de choix. Vous serez capable d'agir d'une manière appropriée dans toutes les situations générées par la vie, et éviterez ainsi le stress et les maladies futures.

Reconnaître et modifier
vos manières d'agir habituelles

Dans nos civilisations occidentales, beaucoup d'entre nous se servent de leur corps d'une manière gauche et maladroite. Nous accomplissons souvent nos actes d'une manière stéréotypée, et cette habitude nous semble être la bonne, sans voir l'effort excessif que cela impose à notre structure. Ainsi, en exigeant trop de nous-mêmes, nous pouvons causer de sérieux dommages à notre corps. Des milliers de gens souffrent, par exemple, de hernie discale. La cause en est souvent la répétition constante d'un faux mouvement, dans la façon de se baisser ou de ramasser quelque chose, qui impose un trop gros effort à la colonne vertébrale. La pression est si grande que le disque vertébral finit par être coincé entre deux vertèbres (voir le chapitre 14).

En prenant le temps de réfléchir un moment à la meilleure façon d'accomplir un acte, non seulement nous nous évitons un fardeau inutile, mais en plus, à long terme, nous économisons beaucoup de temps.

Retrouver la grâce des mouvements que vous adoptiez, enfant

La méthode Alexander n'est pas vraiment un mode d'enseignement, mais plutôt un moyen de nous souvenir de ce que nous avons oublié depuis longtemps. On peut la définir comme un moyen de «déséducation» ou de rééducation du fonctionnement physique et psychique de l'être humain.

Alexander lui-même disait souvent que si l'on s'arrête de faire ce qu'il ne faut pas faire, la bonne façon de faire se présentera automatiquement. En d'autres termes, en cessant d'intervenir dans le déroulement normal des réflexes et de la coordination du corps, il retrouve alors le maximum de son efficacité et ses mouvements font preuve d'une plus grande aisance.

Quel que soit notre âge, nous pouvons retrouver une partie de cette grâce et de cet équilibre que l'on constate facilement chez les jeunes enfants, et qui est toujours latent chez chacun d'entre nous. Toutes les personnes à qui j'ai donné des cours sur la méthode Alexander, depuis la primaire jusqu'à l'âge de 84 ans, en ont grandement bénéficié. Même les plus âgés de mes élèves ont acquis une plus grande liberté de mouvements et ont été capables d'en faire bien plus sans ressentir de fatigue.

Pour arriver à acquérir cette nouvelle liberté, nous devons réaliser à quel point nous interférons dans les processus normaux de notre corps, aussi bien en ce qui concerne la respiration que les systèmes nerveux ou circulatoire. En fait, nos meilleurs professeurs sont nos enfants. Observer un enfant jouer sur une plage ou dans son parc peut nous en apprendre beaucoup sur la façon dont on doit se servir de son corps. Et cela n'a qu'un rapport éloigné avec la façon dont, avec le temps, nous l'utilisons.

Retrouver la liberté

A l'issue de ses observations, aussi bien sur lui-même que sur les autres, Alexander a acquis la conviction que le corps, l'esprit et les émotions étaient inséparables, et que si l'un des trois était mal utilisé, les deux autres pouvaient en être affectés.

Il n'est pas difficile de constater que ce que nous pensons influe sur ce que nous ressentons, ce qui, finalement, influe sur notre manière d'appréhender la vie en général. Nos réussites et nos échecs apparents nous amènent à réfléchir d'une certaine façon sur nous-mêmes. De même, en cherchant à acquérir une nouvelle liberté dans nos mouvements, nous libérons également nos pensées de leurs idées préconçues et préjugés, et sommes ainsi capables de ressentir les choses différemment et d'envisager d'une nouvelle manière de nombreux domaines de la vie. A terme, ce processus nous conduit à la liberté d'esprit, ce qui nous procure un sentiment de bonheur et d'épanouissement que nous n'avons peut-être pas ressenti depuis notre enfance.

Depuis la nuit des temps, les hommes et les femmes ont donné leur vie pour la liberté de leur famille ou de leur pays, et pourtant, un petit nombre d'entre eux ont conscience d'être piégés dans leur mode de pensée habituel et entravés par les pressions grandissantes qui leur sont quotidiennement infligées. Cela ne veut pas dire que nous devrions vivre en dehors des lois que nous nous sommes imposées à nous-mêmes, mais plutôt que nous devrions choisir consciemment de ne pas agir au détriment de nous-mêmes ou de ceux qui nous entourent.

La pratique de la méthode Alexander est expliquée clairement et simplement dans les chapitres suivants, mais il est utile, à ce stade de votre lecture, de savoir ce qu'elle peut vous offrir, et ce qu'elle ne peut pas.

En quoi consiste
la méthode Alexander

• C'est une manière de comprendre comment le corps est naturellement destiné à fonctionner;

• une méthode visant à éveiller notre conscience, aussi bien sur nous-mêmes que sur le monde autour de nous;

• une rééducation de la manière d'utiliser notre corps de façon à retrouver notre équilibre psychologique et physique;

• un processus qui peut nous aider à percevoir l'interférence que nous infligeons nous-mêmes aux fonctions naturelles de notre corps;

• une manière d'utiliser notre capacité de réflexion en vue d'un changement désiré, de façon à acquérir une meilleure coordination dans nos activités quotidiennes;

• un moyen pour devenir davantage conscient dans de nombreux domaines;

• une technique que vous pouvez pratiquer seul, pour vous aider à vous mouvoir avec le minimum de tension.

Il est évident que notre corps doit générer une certaine tension pour pouvoir fonctionner. Le problème est que nous en générons souvent trop.

Ce que la méthode Alexander n'est pas

• une thérapie;

• un traitement, sous quelque forme que ce soit;

• une pratique de massages ou autres choses du même ordre;

• un remède curatif (bien que le processus naturel de guérison du corps puisse être activement mis en route);

• un programme d'exercices, sous quelque forme que ce soit;

• de la manipulation;

• une médecine parallèle, telles que l'homéopathie, l'acupuncture ou l'ostéopathie. Pour tirer parti de la méthode Alexander, vous n'avez pas besoin d'être malade ou d'avoir quelque chose qui ne fonctionne pas en vous. Il est intéressant d'acquérir le recul nécessaire pour pouvoir considérer notre manière de fonctionner en temps de crise. (Mieux vaut prévenir que guérir, comme dit l'adage.)

En résumé, la méthode Alexander est quelque chose que nous apprenons pour nous aider nous-mêmes, plutôt qu'un traitement par lequel un médecin ou un thérapeute «fait quelque chose» pour son patient.

EN QUOI LA DÉCOUVERTE D'ALEXANDER EST D'ACTUALITÉ AUJOURD'HUI

«Les hommes font plus de choses par habitude que par raison.»

Vieux proverbe

Les pressions
de la vie quotidienne

◆ ◆ ◆

Dans ce chapitre, j'espère vous faire clairement comprendre en quoi la découverte d'Alexander peut nous être utile dans notre vie quotidienne. Vous vous en souvenez, ses problèmes vocaux sont apparus à la suite d'une tension inutile de ses muscles due à sa manière de déclamer des textes. Aujourd'hui, nous sommes stimulés de toutes parts, tant le monde qui nous entoure avance à pas de géant. Notre système de réflexes est constamment mis à l'épreuve pour suivre le rythme effréné de la vie, et c'est pourquoi nous finissons par agir de manière inconsciente, dictée par l'habitude.

Nous prenons rarement le temps de réfléchir à l'éventualité d'une manière d'agir plus facile et mieux appropriée, même pour accomplir les tâches les plus simples, et nous infligeons à notre corps de graves tensions, dont nous ne prenons conscience qu'au moment où elles se transforment en douleurs. Par exemple, le conducteur néophyte agrippe le volant de la voiture avec une telle force qu'après un court trajet, ses mains lui font mal. Lorsqu'il conduit, il est inconscient de l'activité excessive, complètement inutile, qu'il impose à son système musculaire. Du fait des énormes demandes que la vie moderne fait peser sur nous, nous emmagasinons du stress qui, pour la plus grande part, demeure inconscient et donc non reconnu. Nous rendons notre vie beaucoup plus complexe qu'elle n'a lieu d'être en réalité. Réfléchissez un instant à la manière dont nous accomplissons une tâche aussi simple que les courses. Nous prenons notre voiture et cherchons pendant dix minutes une place le plus près possible des boutiques où nous voulons aller. Au moment de nous garer, quelqu'un nous prend la place et cela nous met dans un état de frustration incroyable. Et quand enfin nous trouvons une place, il ne nous reste presque plus de temps pour faire nos courses. Pensez aussi au stress du matin, quand il s'agit de conduire les enfants à l'heure à l'école. La plupart des enfants ont une conception du temps bien différente de celle des adultes. Ce qui explique que les parents aient constamment à gronder leurs enfants sur leur ponctualité, un supplément de stress pour les parents.

Les situations génératrices de stress, dans la vie de tous les jours, sont innombrables. Ce stress se transforme ensuite en tension musculaire qui, si elle n'est pas détectée, peut déclencher, à la longue, une des nombreuses maladies liées au stress dont la liste suit:

- l'hypertension (ou une trop forte pression sanguine);

- l'infarctus du myocarde (une des principales causes de mortalité dans nos civilisations occidentales);

- les problèmes gastro-intestinaux (tout le monde connaît la relation qui existe entre l'ulcère à l'estomac et le stress);

- les maux de tête;

- la migraine;

- l'insomnie;

- l'arthrite;

- le mal de dos.

L'HYPERTENSION est une accélération de la pression sanguine à un point tel, parfois, qu'il y a des risques pour le cœur ou des risques d'attaque. Les raisons de cette forte pression sanguine restent obscures. On pense généralement aujourd'hui qu'elle se produit lorsque les petites artères se contractent. On pense que ces contractions sont dues à un afflux d'adrénaline, elle-même produite par des chocs émotionnels, psychologiques ou physiques.

Des recherches, menées en laboratoire, ont montré une baisse significative de la pression sanguine de patients sujets à l'hypertension, après quelques leçons sur la méthode Alexander. C'est évidemment une alternative attirante aux nombreux médicaments disponibles aujourd'hui dans le commerce, car non seulement il n'y a pas d'effets secondaires, mais c'est aussi beaucoup moins onéreux que les médicaments. On connaît les sommes folles dépensées chaque année pour l'achat de médicaments antidouleur.

L'INFARCTUS DU MYOCARDE est produit par un rétrécissement, à certains endroits, des artères coronaires. Peut-être ce rétrécissement est-il dû à une tension excessive des muscles qui entourent la zone de l'artère atteinte. Dans son livre **Les Principes d'Alexander**, le docteur Wilfred Barlow écrit:

> *«J'ai pu voir un grand nombre de patients souffrant d'un infarctus du myocarde. Mais je n'ai encore vu personne, dans ce cas, n'ayant pas le haut du buste exagérément contracté. Je considère comme essentiel, pour ces patients, qu'ils arrivent à soulager leur extrême tension musculaire, au niveau du buste, selon une méthode qui leur apprenne à mieux utiliser l'ensemble de leur corps.»*

Il apparaît donc clairement que cette maladie, faisant chaque année 200 000 morts rien qu'en Grande-Bretagne, est favorisée par les tensions excessives dues au stress quotidien.

LES PROBLÈMES GASTRO-INTESTINAUX occupent une place prépondérante parmi les maladies liées au stress. L'ulcère à l'estomac en est un bon exemple. C'est une affection extrêmement douloureuse qui touche souvent les personnes soumises aux tensions permanentes d'une vie sous pression. L'ulcère, ou les affections du même ordre, se développe sur une assez courte période et signale à la personne atteinte qu'il est grand temps de diminuer la pression.

Un des buts principaux de la méthode Alexander est de nous aider à prendre notre temps et, ce faisant, à en faire bien plus que nous ne penserions pouvoir faire.

LES MAUX DE TÊTE sont extrêmement courants de nos jours. Ils sont généralement dus à une contraction excessive des muscles du cou ou des épaules. J'ai enseigné la méthode Alexander à des enfants souffrant fréquemment de maux de tête, et ils m'ont dit après quelques leçons que leurs douleurs étaient moins intenses et leurs maux de tête moins fréquents. De plus, quand un de mes petits élèves arrive en ayant mal à la tête, nous détectons ensemble les muscles qu'il contracte et, lorsque l'enfant arrive à se détendre, la douleur disparaît systématiquement avant la fin de la leçon.

LES MIGRAINES sont des troubles de plus en plus courants aujourd'hui. Même si ces troubles sont souvent liés à un dérèglement hormonal, et touchent davantage les femmes que les hommes, rares sont les personnes que l'on ne peut aider en leur apprenant à relâcher les tensions qu'elles infligent à leurs muscles du cou, de la tête, des épaules et du visage. Tous les médecins affirment que même si les migraines sont dues à un déséquilibre chimique, elles peuvent être aggravées ou provoquées par des circonstances stressantes telles que l'anxiété, le bruit, la fatigue mentale et physique, un afflux d'émotions et la dépression.

L'INSOMNIE, elle aussi, est due à une certaine forme d'anxiété. Les personnes qui en souffrent ont souvent un esprit superactif, elles passent en revue tous les détails de la journée, et elles s'inquiètent de ne pas trouver le sommeil.

L'ARTHRITE est le terme que l'on applique à la dégénérescence chronique et à la déformation des os situés aux articulations. Ce mal peut être dû à la tension permanente des muscles qui connectent entre eux les os concernés (voir ci-dessus les figures 4a et 4b).

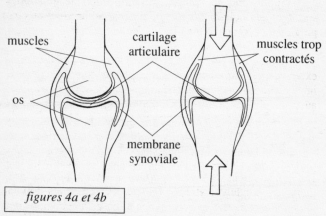

figures 4a et 4b

Comme vous pouvez le voir sur la figure 4b, les muscles peuvent se raccourcir à un point tel que les deux os de l'articulation finissent par frotter l'un contre l'autre, et s'user. Il est facile d'imaginer à quel point la tension doit être forte pour pouvoir éroder une substance aussi dure que l'os. Toutefois, il est important de noter que si le muscle parvient à retrouver son élasticité, les os reprennent leur position initiale (voir figure 4a). Et comme l'os est constitué d'une matière organique vivante, il a la capacité de se reconstituer. Ainsi, les personnes souffrant d'arthrite sont souvent soulagées de leur mal dès qu'elles prennent conscience de la tension excessive qu'elles exercent sur un muscle et arrivent à le relâcher.

Après l'étude d'un grand nombre de cas, le docteur Barlow (consultant en rhumatologie et enseignant de la méthode Alexander) a montré que chez plus de 95 % des patients souffrant d'arthrite rhumatoïde, la maladie se déclare après une période de stress.

Le mal de dos est l'une des affections les plus courantes dans nos sociétés d'aujourd'hui. Plus de 80 % de la population adulte connaissent, à un moment de leur vie, de fortes douleurs lombaires ou une sciatique.

Compte tenu du nombre très important de personnes souffrant de douleurs dorsales, j'ai consacré au sujet un chapitre entier (voir chapitre 14).

Comme vous pouvez le constater à travers ces différents exemples, les pressions grandissantes de notre vie actuelle imposent à notre corps et à notre esprit des exigences, elles aussi, de plus en plus grandes. Je me souviendrai toujours de la phrase d'un de mes amis: *«Le rat qui gagne la course reste toujours un rat.»*

Naturellement, la plupart d'entre nous ne peuvent changer radicalement de mode de vie: les enfants doivent toujours être conduits à l'école à l'heure, les factures doivent toujours être payées et nous avons toujours à accomplir des tâches potentiellement stressantes. Cependant, nous pouvons choisir de ne pas réagir aux stimuli constamment présents d'une manière qui soit nocive à notre bien-être. Vous pouvez commencer tout de suite en appliquant les principes suivants:

Donnez-vous tout le temps nécessaire pour arriver où vous voulez aller. Essayez de ne pas faire les choses à la dernière minute, surtout si être en retard représente une source de forte tension pour vous.

Évitez, chaque fois que c'est possible, les délais trop stricts. Ne vous y enfermez pas quand une plus grande souplesse est possible. Par exemple, dites plutôt: «Je vous verrai entre 8 h 30 et 9 h», que «Je vous verrai à 8 h 45.»

Accordez-vous du temps rien qu'à vous. Ne courez pas jusqu'à l'épuisement. Gardez du temps, chaque jour, pour les choses que vous aimez vraiment faire. Essayez d'écouter votre corps, car il sait vous faire signe avant qu'une maladie se déclare. Réfléchissez à la phrase: «Les êtres humains disent que le temps passe, mais le temps dit que ce sont les êtres humains qui passent.»

Vivez pleinement chaque jour. Attachez-vous à l'instant présent; hier ne peut être changé et demain n'est pas encore là. Le seul moment dont nous puissions vraiment disposer, c'est le présent. Thomas Carlyle a écrit:

«Notre tâche principale n'est pas de voir ce qui se trouve confusément au loin, mais de saisir ce qui se trouve clairement entre nos mains.»

La plupart des problèmes que nous rencontrons dans notre vie viennent de ce que nous sommes rarement totalement présents lorsque nous accomplissons nos tâches. En général, nous les faisons en pensant complètement à autre chose. Alexander appelle cela l'errance habituelle de notre esprit. Il est impossible de mettre sa méthode en pratique si nous ne prenons pas l'habitude d'être réellement attentifs à chaque acte que nous accomplissons. A ce sujet, je fais souvent référence à un poème écrit par le célèbre dramaturge indien, Kalidasa:

SALUTATION À L'AUBE

Regardez le jour qui se lève!
Car il est la vie, la vraie vie de la vie.
Dans sa courte durée
Se trouvent toutes les vérités et les réalités
de votre existence:
La joie de grandir
La gloire d'agir
La splendeur d'accomplir,
Car hier n'est qu'un rêve
Et demain n'est qu'une vision,
Mais aujourd'hui, s'il est pleinement vécu,
Fait d'hier un rêve de bonheur
Et de chaque lendemain une vision d'espoir.
Ainsi regardez bien ce jour qui se lève!
Telle est la salutation à l'aube.

La prévention de la maladie

◆ ◆ ◆

Bien que la plupart des gens ne se tournent vers la méthode Alexander que lorsqu'ils sont en phase de souffrance, il est intéressant de mentionner qu'une personne en bonne santé peut tirer des bénéfices énormes de cette méthode. Non seulement elle en tire une merveilleuse légèreté d'être et une conscience accrue, mais cela l'aide aussi à ne pas développer les maladies dont nous venons de parler. Par les pressions grandissantes qui nous entourent, nous devons absolument trouver un moyen pratique d'en être conscients, et de pouvoir ainsi atténuer les nombreuses tensions qu'elles génèrent en nous et que nous accumulons jour après jour.

Il existe aujourd'hui un grand nombre de cours destinés à gérer le stress et des cours de relaxation, mais nous nous attardons rarement à rechercher les racines mêmes de ce stress. Dans nos sociétés occidentales, nous souscrivons à des polices d'assurance pour nous protéger des changements qui peuvent survenir dans notre vie, mais nous ne prenons jamais la peine de nous protéger contre les changements à l'intérieur de nous-mêmes, pouvant évoluer vers un grand nombre de troubles différents.

Une anecdote intéressante: il y a de nombreuses années, en Chine, les gens ne payaient leur médecin que lorsqu'ils allaient bien et non pas (comme nous le faisons aujourd'hui) lorsqu'ils étaient malades. Résultat, les médecins étaient très motivés pour garder leurs patients en bonne santé! Trop souvent, nous n'accordons de valeur à notre santé que lorsqu'elle se détériore, aussi ignorons-nous les signaux que nous lance notre corps. Nous ne réalisons pas que la raideur et le manque de souplesse pourraient être évités si nous savions nous servir différemment de notre corps. La méthode Alexander nous aide à nous départir d'habitudes prises dès l'enfance et à retrouver la souplesse et l'aisance dans les mouvements.

Exercice

✔ La première chose à faire pour réduire la tension musculaire est de ***s'arrêter et de ne rien faire*** au moins quelques minutes chaque jour, et de n'être qu'avec soi-même. Par ce moyen, vous allez peut-être commencer à remarquer les tensions ou les efforts musculaires avant qu'ils ne deviennent une habitude et ne vous causent ensuite des problèmes physiques. Trouvez dix minutes, dans votre journée, pour être seul et vous détendre. Vous pouvez aussi bien être assis qu'allongé. Pendant ce court moment, mieux vaut éviter la radio, la télévision ou toute autre distraction.

✔ Entraînez-vous à rester seul avec vos pensées. Vous arriverez peu à peu à ce que votre corps soit complète-ment immobile. Au début, ces dix minutes vont vous sem-bler interminables, mais dès que ce laps de temps va devenir une habitude dans votre vie, vous ne le verrez même pas passer.

✔ Il n'est pas facile de mettre toutes ses responsabili-tés de côté, au début, mais elles seront prises en compte le moment venu. Nous oublions souvent que prendre soin de ***nous-mêmes*** est une de nos responsabilités les plus importantes.

POUR COMMENCER
À NOUS AIDER
NOUS-MÊMES

*«L'éducation est une chose admirable. Mais il est bon de
se rappeler de temps en temps que rien de ce qu'il est réellement nécessaire de savoir ne peut s'enseigner.»*

Oscar Wilde

La plupart d'entre nous n'ont ni le temps ni la patience de suivre le long parcours qu'Alexander a accompli pour découvrir l'origine de son problème. Et ce n'est pas non plus nécessaire. Il a laissé derrière lui un nombre suffisant de pistes pour rendre plus facile ce processus d'autodécouverte, mais il est malgré tout conseillé d'avoir un guide car le chemin à parcourir est semé d'embûches.

Je voudrais répéter que nous n'apprenons rien de nouveau; c'est au contraire un processus de «désapprentissage». A partir du moment où nous nous arrêtons de faire ce qui crée le problème, les choses se remettent immédiatement en place.

Conscience et observation

L'observation de nous-mêmes et des autres est le premier pas essentiel vers la prise de conscience de la mauvaise façon dont nous nous servons de notre corps, même pour les activités les plus simples. Au début, il est plus facile de repérer cela chez les autres, simplement parce qu'on est plus objectif. En observant les autres, essayez de les étudier dans leur ensemble et non de vous concentrer sur certaines parties de leur corps. Puis posez-vous les questions suivantes:

La personne:

a) se tient-elle droite?

b) est-elle plutôt penchée vers l'avant?

c) ou penchée vers l'arrière?

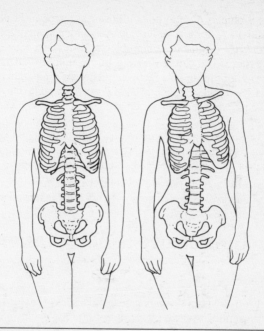

Figure 5 : Une posture déséquilibrée peut faire subir un effort à tout notre squelette, de même qu'à nos organes internes.

Si la personne est plutôt penchée vers l'avant ou vers l'arrière, à partir d'où s'amorce l'inclinaison?

a) des chevilles?

b) des hanches?

c) de la partie supérieure du dos ou des épaules?

La vision de profil est la meilleure façon de voir clairement les distorsions que nous sommes si nombreux à avoir.

Vous remarquerez au moins deux tendances différentes avec des forces opposées: par exemple, une personne peut cambrer la taille et avoir le dos en arrière tout en voûtant les épaules et en ayant la tête en avant (voir figure 6). Il est intéressant aussi d'observer les différentes postures qu'adoptent les gens quand ils sont assis.

A partir du moment où vous savez repérer le manque d'équilibre chez un grand nombre de personnes que vous observez, commencez à vous observer vous-même pour savoir si vous ne faites pas les mêmes choses qu'elles. Vous devez absolument rester aussi objectif que possible, et cela vous aidera à garder le sens de l'humour! Alexander avait l'habitude de dire :

«*Ce travail est beaucoup trop sérieux pour être pris au sérieux!*»

Figure 6 : Une manière courante de se tenir debout: la personne se tient en arrière par la cambrure de sa taille, mais elle a les épaules et la tête penchées vers l'avant.

Si vous remarquez en vous quelque chose qui puisse être amélioré, n'essayez pas d'opérer un changement immédiat. Tout ce que ferez augmentera la tension et favorisera l'installation de la mauvaise habitude. Nous avons souvent tendance à vouloir finir avant d'avoir commencé, et de tout avoir tout de suite, mais nous devons d'abord faire appel à notre raison et à notre réflexion pour rechercher la cause du problème. En d'autres termes, nous devons plutôt «défaire» quelque chose qui existe, que «faire» quelque chose de nouveau. Et c'est plus facile à dire qu'à faire!

La station debout

Pour que vous puissiez prendre conscience de votre posture quand vous vous tenez debout, posez-vous les questions suivantes:

1. Est-ce que j'ai tendance à me tenir sur une jambe plus que sur l'autre, ou ai-je un bon équilibre, bien en appui sur les deux jambes? (Même si vous pensez avoir un bon équilibre, appuyez-vous de tout votre poids sur une jambe, puis sur l'autre, et voyez dans quelle position vous vous sentez le plus confortable. Cela vous indiquera votre tendance.)

2. Suis-je plutôt en appui sur les talons ou sur le bout des pieds? (Cela vous aidera à déterminer si vous êtes plutôt penché vers l'avant ou vers l'arrière.)

3. Suis-je plutôt en appui sur le bord extérieur des pieds ou sur le bord intérieur? (Note: peut-être n'est-ce pas identique pour les deux pieds. Par exemple, vous pouvez vous tenir en appui sur le bord extérieur du pied droit et sur le bord intérieur du gauche.)

4. Mes genoux sont-ils excessivement tendus ou au contraire sont-ils tellement relâchés qu'ils ont tendance à se plier?

Tous les autres aspects de la position debout sont du domaine des sensations, et il est donc nécessaire d'avoir recours à un miroir ou à une caméra vidéo pour avoir une information juste.

En vous posant les différentes questions ci-dessus, si vous commencez à vous apercevoir que vous avez tendance à vous tenir debout d'une manière déséquilibrée, accentuez pendant quelques instants cette tendance. Cela va vous aider à prendre conscience de l'effort excessif que vous imposez à votre corps tout entier. En d'autres termes, si vous êtes plutôt enclin à vous tenir en appui sur la jambe gauche, et sur le bord extérieur du pied, exagérez alors cette tendance de manière à être encore plus en appui sur la jambe gauche et sur le bord extérieur du pied. Au bout d'un petit moment, vous allez ressentir une sensation de déséquilibre dans l'ensemble de votre corps. Nous avons toujours cette sensation en nous, jusqu'à un certain point, mais nous n'en sommes pas conscients car notre habitude dépasse le sens de notre présence dans l'espace.

Le simple fait d'être conscients de notre manière de nous tenir debout est le début d'un changement favorable à notre bien-être.

Améliorez votre position debout

Bien qu'Alexander ne se fasse l'avocat d'aucune façon correcte de se tenir debout, ce qui aurait pu encourager de nouvelles habitudes à prendre, il nous a malgré tout laissé quelques suggestions très utiles dont nous avons intérêt à nous souvenir lorsque nous sommes debout:

1. Les deux pieds peuvent former un angle de 45° et être espacés d'une vingtaine de centimètres l'un de l'autre. Cela offre une base plus solide pour soutenir le reste du corps.

2. Pour des stations debout prolongées, il est préférable de mettre un pied légèrement derrière l'autre, avec le poids du corps plutôt en appui sur le pied arrière, cela aide à ne pas se déhancher ni se mettre en appui sur un pied, ce qui déséquilibre toute la structure du corps. Ce conseil est particulièrement utile à ceux d'entre nous qui ont l'habitude de se tenir davantage sur une jambe que sur l'autre.

3. On doit pouvoir reculer les hanches le plus loin possible vers l'arrière, sans que cela n'altère l'équilibre d'ensemble, ni pencher le haut du corps vers l'avant. Cela aide à combattre la tendance pratiquement universelle que l'on a à projeter le pubis vers l'avant lorsque l'on se tient debout.

4. Sur la plante des pieds, il existe trois points qui forment un «trépied». Le premier point est le talon, le second se trouve sur la partie charnue qui se trouve sous le gros orteil, et le troisième se trouve sous le plus petit orteil (voir figure 8). Tous les constructeurs savent qu'un objet a besoin d'au moins trois points de contact pour être stable. C'est pourquoi si nous nous tenons sur deux des trois points seulement, notre équilibre est moins bon et, sans le vouloir, certains de nos muscles vont se tendre pour essayer de compenser ce manque d'équilibre du corps. La prochaine fois que vous mettrez des chaussures à la poubelle, observez les principaux points d'usure, et cela vous donnera une bonne indication sur la façon dont vous vous tenez debout.

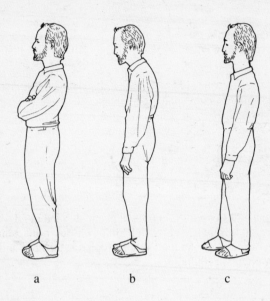

a   b   c

Figure 7a : Position debout incorrecte: le bas du dos est creux tandis que les hanches et l'estomac sont légèrement projetés vers l'avant, provoquant une fatigue et de mauvaises pressions internes.

Figure 7b : Position debout incorrecte: les épaules sont voûtées, ce qui provoque de mauvaises pressions internes et des distorsions dans tout le corps.

Figure 7c : Bonne position debout (voir texte ci-dessus).

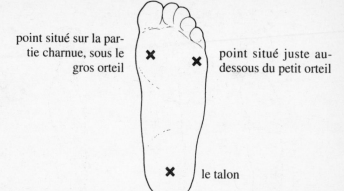

point situé sur la partie charnue, sous le gros orteil

point situé juste au-dessous du petit orteil

le talon

Figure 8 : Les trois points de la plante du pied qui doivent être en contact avec le sol lorsque nous nous tenons debout, afin d'obtenir l'effet «trépied» qui nous aide à avoir un bon équilibre.

Exercice

Devant un miroir:

1. Tenez-vous debout, face au miroir, les yeux fermés, dans une position qui vous semble confortable.

2. Ouvrez les yeux et voyez si l'idée que vous vous faisiez de votre posture correspond à la réalité.

3. Fermez les yeux de nouveau, et essayez de vous tenir, face au miroir, de façon à vous sentir totalement symétrique.

4. Ouvrez les yeux et regardez si ce que vous sentiez correspond à l'image que vous renvoie le miroir.

5. Refaites le même exercice, mais en vous tenant de profil cette fois.

La position assise

De la même façon, vous pouvez pratiquer l'exercice pour observer la position que vous avez quand vous êtes assis.

Posez-vous les questions suivantes:

1. Suis-je assis bien droit, bien en appui sur les deux fesses, ou ai-je plutôt tendance à être en appui d'un côté ou de l'autre?

2. Est-ce que j'ai l'habitude de croiser les jambes lorsque je suis assis, et si c'est le cas, est-ce que je croise une jambe plus souvent que l'autre?

3. Suis-je plutôt tassé sur moi-même, lorsque je suis assis, ou est-ce que je me tiens d'une manière rigide?

4. Mes pieds sont-ils en contact sur le sol, supportant ainsi le poids de mes jambes, ou ai-je plutôt l'habitude de les replier sous mon siège ou de les allonger devant moi?

5. Est-ce que j'ai toujours tendance à vouloir m'appuyer sur le dossier de mon siège pour m'aider à me soutenir (si c'est le cas, vos muscles de soutien vont rapidement être sous-employés)?

Il est important de comprendre qu'aucune position assise n'est mauvaise. Notre corps peut supporter à peu près n'importe quelle position pourvu que ce ne soit pas pendant trop longtemps. C'est seulement si nous avons une forte propension à nous asseoir toujours de la même manière, et pendant de longues périodes, que nous soumettons une partie de notre corps à des tensions considérables. C'est pourquoi il n'y a pas de positions à adopter ou à proscrire, mais il faut régulièrement penser à en changer. Les figures 9a et 9b illustrent deux positions assises que de nombreuses personnes adoptent, tandis que la figure 9c montre une position bien équilibrée, ni avachie, ni rigide.

La plupart des enfants se couchent à moitié sur leur pupitre d'école. Les enseignants, conscients de cette fâcheuse tendance, et dans les meilleures intentions du monde, leur rappellent constamment de se tenir droits. Aussi, par crainte des réprimandes ou par volonté de faire plaisir, les enfants se redressent brusquement et projettent leur buste en avant tout en contractant leurs muscles du dos, cambrant ainsi exagérément leur colonne vertébrale. Et comme l'instituteur ne voit le plus souvent ses élèves que de face, il ne perçoit pas la courbe exagérée au bas du dos des enfants.

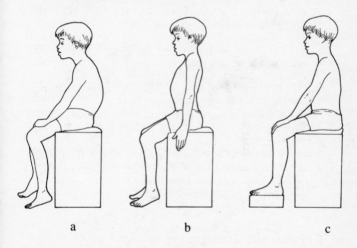

a   b   c

Figure 9a : Une position assise avachie.

Figure 9b : Une position assise trop droite et trop rigide.

Figure 9c : Une position assise bien équilibrée.

Ainsi les enfants commencent-ils à utiliser volontairement ces muscles pour se tenir dans une position très droite, et le fait de répéter ce mouvement pendant de nombreuses années leur provoquera inévitablement, plus tard, des douleurs lombaires chroniques. C'est le type de douleurs le plus fréquent (les différences entre les muscles volontaires et les muscles de posture sont expliquées dans le chapitre 12).

Exercice

Là encore, l'aide d'un miroir peut être des plus utile:

1. Placez une chaise face au miroir et, sans vous regarder, asseyez-vous d'une manière qui vous est habituelle.

2. Puis regardez votre reflet pour voir si la façon dont vous pensez être assis sur cette chaise correspond à la réalité.

3. A nouveau, sans vous regarder dans la glace, essayez de vous asseoir de la manière la plus symétrique possible.

4. Regardez-vous de nouveau, puis vérifiez les points suivants:

   a) Votre tête est-elle plutôt penchée d'un côté ou de l'autre?

   b) Une de vos épaules est-elle un peu plus haute que l'autre?

   c) Êtes-vous légèrement penché d'un côté ou de l'autre?

   d) Vos jambes et vos pieds sont-ils également symétriques?

Renouvelez cet exercice tous les jours pendant une semaine ou deux, en notant sur un papier vos observations, et vous saurez rapidement à quoi vous utilisez votre énergie.

Il est bon de se rappeler régulièrement que l'être humain n'est pas conçu pour rester assis pendant trop longtemps et que très peu de designers comprennent réellement les mécanismes du corps. C'est pourquoi, si vous devez rester assis de longs moments d'affilée, n'oubliez pas de vous lever régulièrement et de faire quelques pas pour détendre vos muscles. N'oubliez pas non plus de faire les petits trajets à pied au lieu de prendre systématiquement votre voiture.

La colonne vertébrale est soumise à un stress beaucoup plus grand lorsque nous sommes assis que debout. La plupart des sièges, en particulier les sièges de voiture, ont un dossier incliné vers l'arrière qui incite à se laisser aller, et il faut tendre les muscles du dos pour contrebalancer cet effet. Il existe cependant des sièges dont le dossier est ajustable, ce qui permet au dos de se maintenir légèrement vers l'avant. Cela évite ainsi de s'avachir ou de se tasser sur son bassin, comme c'est si souvent le cas. Vous pouvez obtenir le même effet en plaçant un morceau de bois de cinq centimètres ou un annuaire sous les pieds arrière de n'importe quelle chaise de cuisine. Essayez-le.

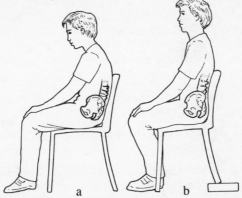

Figure 10a : Une position assise très courante (avachie).
Figure 10b : Une meilleure position assise (légèrement penchée vers l'avant).

LE MÉCANISME
DU MOUVEMENT

*«Il est essentiel que les gens comprennent l'importance
de leur héritage, issu du long processus de l'évolution
humaine, qui leur permet de gérer leurs propres mécanismes
physiques. Grâce à la conscience et à l'application raisonnée de son intelligence, l'homme peut avoir un pouvoir sur
toutes les maladies et les incapacités physiques. Ce n'est pas
par le sommeil, la transe, la soumission, la paralysie ou
l'anesthésie que l'homme obtient cette victoire, mais par une
conscience claire, lucide, raisonnée et délibérée, par l'héritage transcendant d'un esprit conscient.»*

Frederick Matthias Alexander

Avez-vous jamais pris le temps de vous arrêter un moment pour réfléchir à la façon dont vous bougez et vous vous déplacez? Et est-ce la façon la plus facile et la plus efficace? La plupart des gens ne pensent jamais à cela. C'est même un sujet tellement peu abordé qu'en fait, il est difficile, au début, de comprendre même de quoi il s'agit.

Notre corps est constitué de 206 os placés les uns au-dessus des autres. Ils sont tenus les uns aux autres par toute une série de muscles qui, en maintenant une certaine tension, nous permettent de nous tenir droits. La tête vient se placer au sommet de cette structure; elle pèse approximativement 7 kilos.

Exercice

✔ Rassemblez autour de vous quelques objets pesant environ 7 kilos (par exemple sept paquets de sucre, sept kilos de pommes de terre, etc.). Mettez la denrée choisie dans un sac ou une boîte, et imaginez-vous que c'est votre tête que vous portez. Réaliser que vous portez ce poids en équilibre à chaque instant de votre vie éveillée est une expérience très surprenante.

Ce n'est pas tout. La tête est posée en équilibre sur le sommet de la colonne vertébrale. C'est pourquoi quand nous relâchons les muscles du cou pour nous détendre, la tête part toujours d'un côté ou de l'autre. Observez quelqu'un qui s'est endormi sur une chaise. Invariablement, sa tête tombe sur sa poitrine. Aussi, non seulement essayons-nous de tenir en équilibre une tête de sept kilos, mais nous devons aussi gérer le fait que le point d'équilibre ne se situe pas sous le point de gravité de la tête (voir figure 11).

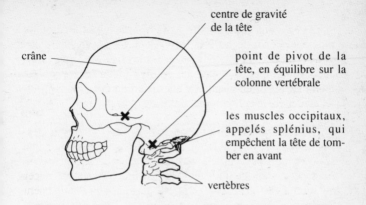

centre de gravité
de la tête

crâne

point de pivot de la
tête, en équilibre sur la
colonne vertébrale

les muscles occipitaux,
appelés splénius, qui
empêchent la tête de tom-
ber en avant

vertèbres

Figure 11 : Schéma du crâne et des vertèbres supérieures, permettant de voir le point de pivot de la tête et son centre de gravité.

Exercice

✔ Prenez une assiette (une à laquelle vous ne tenez pas trop!), mettez votre doigt au milieu et essayez de maintenir l'assiette en équilibre au bout du doigt.

✔ Renouvelez l'expérience mais en plaçant cette fois le doigt à environ cinq centimètres du centre de l'assiette. Il existe exactement le même rapport entre la tête et le cou.

Quand on y réfléchit, au début, cela semble n'avoir aucun sens. Logiquement, en nous dotant d'un tel poids à porter en équilibre sur notre colonne vertébrale, la nature aurait dû penser à poser la tête sur son point de gravité, pour qu'elle soit bien en équilibre. C'est un problème troublant. Et pourtant, la réponse est simple et lumineuse.

Exercice

✔ Réfléchissez un moment à ce mystère de la tête posée dans un équilibre instable sur le haut de la colonne vertébrale, et voyez si vous pouvez le résoudre.

Le déséquilibre de la tête

La raison pour laquelle le point de pivot de la tête se trouve derrière son centre de gravité est que, pour nous mettre en mouvement, nous avons juste à relâcher les muscles sub-occipitaux (appelés plénius), derrière la tête. Alors, la tête part légèrement en avant, et son poids donne l'impulsion de mouvement à tout le corps. En d'autres termes, pour pouvoir bouger, un être humain n'a qu'à relâcher la tension de certains muscles, et un système complexe de réflexes s'occupe du reste. La plupart des autres mouvements nécessitent un effort, et c'est au début de l'action que l'effort est le plus intense. Par exemple, une voiture déploie sa puissance maximum au moment du démarrage. Ensuite, pour se maintenir à une vitesse constante, elle a besoin d'assez peu d'énergie.

Ce fait recèle des implications profondes. Si nous savons utiliser notre mécanique d'une manière plus coordonnée, nous aurons moins d'effort à fournir pour accomplir nos mouvements et nous aurons de l'énergie en réserve à la fin de la journée. Cela induit naturellement un mode de vie plus harmonieux puisque la plupart des conflits et des situations stressantes sont déclenchées par la fatigue et le manque de vitalité. Les parents et les amis des élèves d'Alexander parlent souvent d'un changement de tempérament notable chez les élèves, au bout de quelques leçons seulement. J'ai souvent entendu des commentaires tels que: *«Jean est beaucoup plus tranquille et insouciant qu'avant, et en fait, il est bien plus agréable à vivre.»*

Le principe de la méthode Alexander est donc d'utiliser notre corps comme l'avait prévu la nature: c'est-à-dire de **diminuer les tensions musculaires pour accomplir nos mouvements**, et non pas de les augmenter, comme le font la plupart d'entre nous. Ce concept de l'effort nécessaire nous est ressassé toute notre vie par nos parents et nos professeurs qui nous disent: *«Tu n'arriveras à rien dans ce monde si tu ne fournis pas de gros efforts.»* Ainsi, inconsciemment, nous nous rendons la vie beaucoup plus difficile qu'elle n'a réellement lieu d'être, aussi bien physiquement que psychologiquement. En apprenant à améliorer vos mouvements, vous allez voir comme de nombreuses choses peuvent être faites facilement et sans effort. Dès que ce concept commence à pénétrer dans notre subconscient, nous avons une manière plus détendue d'accomplir chaque chose.

L'instabilité de toute la structure humaine

Comme je l'ai dit, le squelette, qui est constitué de plus de 200 os assemblés les uns sur les autres, est naturellement instable. Il ressemble à ces jeux de cubes que les enfants empilent, le cube le plus haut placé menaçant l'équilibre de tout l'ensemble, jusqu'à ce qu'effectivement, le tout s'écroule. Ceci, ajouté au fait que la tête est posée en déséquilibre, indique que nous avons très peu d'effort à fournir pour pouvoir bouger. Nous sommes prévus pour «tomber» dans le mouvement, et quand les enfants apprennent à marcher, c'est d'ailleurs ce qu'ils font. On a toujours l'impression qu'ils vont tomber sur le nez ou sur les fesses, et ils se maintien-

nent pourtant en équilibre par l'action réflexe de leurs jambes.

Toutefois, au fil des ans, notre peur inconsciente de la chute nous pousse à nous stabiliser en tendant notre système musculaire. Cela influe bien évidemment sur l'ensemble de notre système physiologique, rendant nos réflexes relativement inefficaces. Résultat, nous fournissons un effort musculaire excessif pour accomplir un acte qui pourrait l'être simplement par réflexe.

En bref, si nous n'utilisons pas notre corps ainsi que l'avait prévu la nature, nous commençons à utiliser nos mécanismes musculaires d'une manière qui, inévitablement, va provoquer des rigidités inutiles à certains endroits du corps, et un trop grand relâchement à d'autres. Ces rigidités excessives se situent toujours dans des zones où le système musculaire a été obligé d'accomplir des efforts supérieurs à ceux que la nature exigeait de lui, et qui donc sont mal adaptés à sa fonction.

Figure 12 : Nous sommes constitués de 206 os posés les uns sur les autres.

Marcher

En gardant à l'esprit les principes décrits plus haut, le fait de marcher devient un acte par lequel nous travaillons avec la gravité, et non contre elle. L'acte de marcher est un processus de relâchement de certains muscles qui mettent la tête en contact avec le reste du corps, permettant ainsi à la tête de bouger très légèrement vers l'avant. Comme le reste du corps se trouve déjà en état d'instabilité, il se mettra en mouvement par cet effet de *«chute»* en avant. Dès que le corps détecte la plus petite impulsion, le mécanisme réflexe déclenche automatiquement le mouvement d'une jambe vers l'avant pour nous éviter de tomber.

En observant la façon naturelle de marcher, un principe important apparaît:

TOUT MOUVEMENT EST TOUJOURS
CONDUIT PAR LA TÊTE.

Pour pratiquer la méthode Alexander, il est capital de comprendre cela. Qu'il s'agisse d'un serpent ou d'un éléphant, chaque animal bouge en étant mené par sa tête. C'est pourquoi tous les organes sensoriels principaux (les yeux, les oreilles, le nez et la langue) se trouvent dans la tête. Au début, cela semble être une constatation évidente, mais peu d'êtres humains, pourtant, appliquent ce principe aux mouvements.

Exercice

1. Tenez-vous face à un miroir.

2. Avancez d'un pas.

3. Demandez-vous: «Que faut-il que je fasse pour faire ce pas en avant?»

4. Notez si vous allez plutôt vers la droite ou vers la gauche en faisant ce pas (si vous allez d'un côté ou de l'autre, c'est que vous exercez une pression trop forte sur votre hanche gauche ou droite).

5. Demandez-vous: «Quelle partie de moi-même a-t-elle été à l'origine du mouvement?»

6. Renouvelez l'exercice plusieurs fois jusqu'à ce que vous voyiez clairement le processus.

Comme vous l'avez probablement découvert, on effectue généralement un pas en levant une jambe grâce aux muscles de la cuisse, ce qui nous déporte de notre centre de gravité. Cela représente une dépense d'énergie inutile et, si vous réfléchissez au nombre de pas que vous effectuez dans une journée, vous prenez conscience de toute cette énergie gaspillée. Et non seulement il y a perte d'énergie, mais il y a également tension excessive sur l'ensemble de la structure pour simplement maintenir notre équilibre quand notre pied quitte le sol. Si elle est occasionnelle, cette tension est parfaitement inoffensive, mais reproduite des centaines de fois par jour, elle va finir, inévitablement, par provoquer une rigidité, puis une douleur.

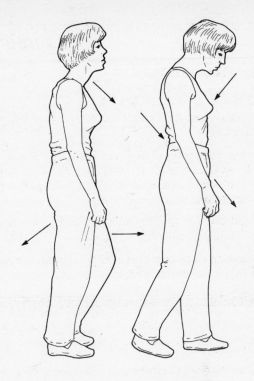

Figure 13 : Une démarche lourde et gauche.

Figure 13a : Les mouvements sont déconnectés les uns par rapport aux autres.

Figure 13b : Elle marche avec la tête baissée et les hanches en avant.

Les flèches indiquent la direction des mouvements de certaines parties du corps.

Exercice

1. Laissez-vous tomber en avant et retenez-vous au dernier moment en faisant un pas en avant.

2. Notez si vous avez une préférence pour une jambe ou pour l'autre pour faire ce pas qui vous sauve de la chute.

3. Avez-vous plutôt tendance à lever la jambe ou à la laisser agir par réflexe?

4. En commençant à marcher, essayez de noter si vous marchez plutôt sur l'intérieur ou l'extérieur du pied (la pression exercée devrait être à peu près identique de chaque côté du pied, avec éventuellement une très légère inclinaison vers l'extérieur; une pression excessive vers l'intérieur du pied nuit à la voûte plantaire et finit par rendre les pieds plats).

5. En marchant, regardez la pointe de vos pieds et notez si elles ont plutôt tendance à se tourner vers l'extérieur ou vers l'intérieur. (Il est possible et même vraisemblable que vos deux pieds n'aient pas exactement le même mouvement.)

6. Prenez conscience du nombre de pressions qui existent lorsque votre pied entre en contact avec le sol.

Je ne dirai jamais assez à quel point il est important de ne pas essayer de changer les choses; cela engendre toujours une augmentation de la tension musculaire et rend la situation encore pire. Le changement s'opérera simplement de lui-même, lorsque vous aurez pris conscience de votre habitude. Ce changement n'apparaîtra peut-être pas immédiatement. Peut-être ne vous en apercevrez-vous qu'au bout de quelques jours ou même de quelques semaines, essayez donc d'être patient.

Ramasser quelque chose par terre

◆ ◆ ◆

Pour ramasser quelque chose par terre, beaucoup de gens se penchent en avant en faisant simplement pivoter leurs hanches (là où le col du fémur est en contact avec le bassin).

a   b

Figure 14a : C'est en se penchant en avant que la plupart des gens ramassent un objet par terre. L'ensemble du corps est soumis au stress car le haut du corps n'est plus en appui sur son support (les pieds).

Figure 14b : Une position plus adéquate pour ramasser quelque chose par terre. En s'accroupissant, la personne conserve un bon équilibre et elle n'inflige donc pas un effort excessif à l'ensemble de sa structure. Les enfants se baissent toujours ainsi pour ramasser quelque chose, mais on ne le voit plus très souvent chez les adultes.

Cela impose un effort énorme aux muscles du dos, surtout à ceux qui se trouvent au bas du dos. Sans s'en rendre compte, ces personnes doivent supporter la moitié du poids de leur corps en même temps que le poids de l'objet à ramasser. Par exemple, quelqu'un de 76 kilos devant ramasser un objet de 12,5 kilos, sans plier les genoux, doit porter un poids supplémentaire à celui de l'objet d'environ 38 kilos uniquement par la tension des muscles du bas du dos. Ce qui représente une tension considérable. Ce type de mauvais mouvements conduit inévitablement, plus tard, aux douleurs lombaires ou même, dans les cas extrêmes, à une hernie discale. S'il vous est arrivé d'observer des haltérophiles à la télévision, vous avez dû remarquer qu'ils s'accroupissent avant de ramasser leurs haltères, comme le font les enfants. Ils se servent de leurs muscles puissants dans les cuisses et dans les fesses, mais pas de leurs muscles dorsaux.

Comme vous pouvez le voir sur la figure 14b, le corps de la personne est parfaitement en équilibre lorsqu'elle est accroupie. Alexander appelle cela une position «avantageuse sur le plan mécanique».

La position «avantageuse sur le plan mécanique»

Alexander recommande cette position car elle maintient le corps dans un état d'équilibre et de confort quand nous accomplissons un acte pour lequel nous devons nous baisser. Voici comment il décrit cette position dans son premier livre: «*L'Héritage Suprême de l'Homme*»:

«*Adopter la position "avantageuse sur le plan mécanique" offre à l'organisme un système parfait de massage interne naturel qu'aucune méthode classique n'a réussi à obtenir jusqu'à présent. Ce système est extraordinairement efficace pour chasser l'accumulation de nos toxines, prévenant ainsi des maladies générées par l'auto-intoxication.»*

Exercice

1. Posez un livre par terre, en face de vous.

2. Sans réfléchir, ramassez le livre comme vous avez l'habitude de le faire (c'est-à-dire de la manière qui vous semble la plus confortable).

3. Recommencez plusieurs fois.

4. Essayez de noter la manière dont vous vous baissez. Ne vous servez-vous que de votre bassin ou utilisez-vous simultanément les articulations de vos chevilles, de vos genoux et de vos hanches?

5. Essayez de vous accroupir. Si vous trouvez cela trop difficile, allez le plus bas que vous pouvez, mais sans forcer. Ne faites surtout pas plus que vous ne pouvez. Au début, peut-être devrez-vous vous tenir au dos d'une chaise ou sur le bord d'une table pour vous aider à garder votre équilibre.

A mesure que vous prendrez conscience de vos gestes dans différentes situations, aussi bien pour prendre le lait dans le réfrigérateur, que pour prendre le courrier dans votre boîte aux lettres, vous assisterez peu à peu à un changement dans votre manière de bouger. Toutes les activités quotidiennes deviennent beaucoup plus faciles à accomplir, ce qui transparaîtra dans votre attitude par rapport à la vie en général.

Au début, cette nouvelle façon de bouger va peut-être vous sembler un peu étrange, ou même anormale, car elle ne correspond pas à votre façon habituelle de fonctionner. Toutefois, en très peu de temps, c'est cette nouvelle façon qui va vous sembler naturelle, tandis que votre ancienne façon de fonctionner vous semblera maladroite et mal coordonnée.

Passer de la position debout
à la position assise

◆ ◆ ◆

Un grand nombre d'entre nous ont l'habitude de tomber vers l'arrière lorsqu'ils s'asseyent. Cela trahit nos réflexes de peur et provoque des tensions inutiles. Une meilleure façon de s'asseoir est de se pencher un peu en avant, comme le montre la figure 15, de plier les genoux et de laisser le corps accomplir naturellement le geste de s'asseoir. Vous devez pouvoir être capable, à tout moment, de changer d'avis et de vous lever immédiatement sans effort. Si cela vous semble difficile, asseyez-vous simplement sur une chaise… comme si elle n'y était pas. Ainsi vous aurez toujours un bon équilibre.

Figure 15 : Pour s'asseoir en ayant une bonne coordination, la tête doit se trouver à l'aplomb des pieds jusqu'à ce que les fesses de la personne atteignent la chaise.

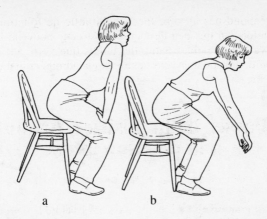

a   b

Figure 16 : Quand nous passons de la position assise à la position debout, nous imposons parfois un effort énorme à notre structure toute entière. Veillez à ne pas pousser *(figure 16a)* ni vous balancer *(figure 16b)* pour vous lever.

De la même façon, passer de la position assise à la position debout peut représenter un effort considérable pour toute notre structure.

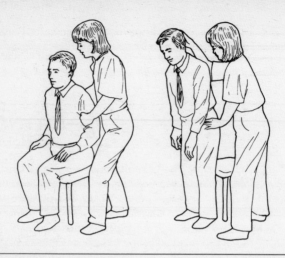

Figure 17 : Une enseignante de la méthode Alexander aide son élève à bouger d'une manière différente, imposant moins d'efforts à son corps. Elle l'encourage à se tenir droit lorsqu'il s'assoit et à ne pas se tasser lorsqu'il se penche en avant.

Exercice

✔ En dehors des formes naturelles d'exercice telles que marcher, courir ou nager, s'accroupir est l'un des mouvements les plus utiles pour votre corps. Quand nous étions enfant, chaque fois que nous devions nous baisser pour ramasser quelque chose, nous nous accroupissions. Mais en prenant de l'âge, nous perdons la bonne habitude de plier les genoux. Si le geste de vous accroupir ne vous est pas habituel, veillez à ne pas trop forcer. Pour vous aider à vous maintenir en équilibre, tenez-vous à quelque chose de fixe, chez vous, et faites quelques flexions des genoux, en douceur, sans vouloir aller trop bas au début.

✔ Faites de même lorsque vous devez vous baisser pour ramasser quelque chose au sol. Veillez à prendre votre temps pour vous entraîner à cet exercice, car cela vous aidera à noter toute tension excessive dans votre corps. Faites attention à plier vos chevilles, vos genoux et vos hanches en même temps, et à garder le dos droit, même s'il n'est pas toujours nécessairement vertical.

8

LES PERCEPTIONS SENSORIELLES ERRONÉES

*«La faute, cher Brutus, n'est pas en nos étoiles,
Mais bien en nous-mêmes»*

William Shakespeare (*Jules César*)

La principale difficulté que les gens rencontrent quand ils commencent à pratiquer la méthode Alexander, c'est justement la difficulté qu'Alexander lui-même a rencontrée, c'est-à-dire une appréciation sensorielle de soi-même très peu fiable. Cela veut simplement dire que leur autoperception (c'est-à-dire le sens qui leur dit où les différentes parties du corps sont en relation les unes avec les autres, et comment elles se situent dans l'espace) est devenue erronée, et leur fournit à présent des informations fausses.

Figure 18 : Exemple de perception sensorielle erronée. Cet homme pense se tenir bien droit alors qu'en fait, sa colonne vertébrale forme une courbe qui entraîne son buste à se pencher légèrement vers l'arrière.

«En premier lieu, l'élève doit réaliser clairement qu'il souffre d'une défaillance ou de défauts qui doivent être éliminés. Ensuite, l'enseignant doit faire un diagnostic lucide de ces défauts et décider des moyens à employer pour les enrayer. L'élève prend alors conscience que son esprit le trompe sur ses actes physiques et que son appréciation sensorielle est défectueuse et l'induit en erreur. En d'autres termes, il réalise donc que son sens lui indiquant la quantité de tension musculaire nécessaire pour accomplir une action donnée, même les actes les plus simples de la vie quotidienne, est erroné et nocif, et que sa conception de notions telles que la relaxation ou la concentration l'empêche de les mettre en application.»

Frederick Matthias Alexander

Exercice

✔ Pour démontrer ce qui vient d'être dit:

1. Sans regarder vos pieds, écartez-les d'une bonne vingtaine de centimètres l'un de l'autre, tout en les gardant parallèles.

2. Maintenant, regardez la position de vos pieds pour voir si elle correspond exactement à ce que vous aviez l'intention de faire.

3. Toujours en regardant vos pieds, écartez-les effectivement d'une vingtaine de centimètres, en les gardant parallèles.

4. Qu'ont-ils envie de faire?

✔ Essayez cet exercice sur le plus grand nombre de gens possible, et notez que la position des pieds peut varier énormément d'une personne à l'autre.

✔ Essayez aussi l'exercice suivant:

1. Demandez à un ami de s'asseoir sur une chaise.

2. Posez votre main à plat sur le bas de son dos, au creux des reins, de la zone lombaire.

3. Demandez à votre ami de se lever en restant bien droit.

4. Notez la courbure qu'il impose à sa colonne vertébrale en pensant se tenir bien droit, et voyez comme finalement il la raccourcit au lieu de la détendre.

En bref, ce que nous faisons effectivement et ce que nous pensons faire peuvent être deux choses totalement différentes.

Le sens «kinesthésique»

C'est un terme qui revient constamment dans la méthode Alexander et qui s'applique au sens de la perception de soi-même dont nous venons de parler. Le sens *«kinesthésique»* envoie des messages au cerveau dès que se produit dans le corps un mouvement musculaire ou articulaire. Ces sensations envoient une impulsion aux nerfs qui les acheminent jusqu'au cerveau et l'informent ainsi de la localisation des membres dans l'espace, de leur position relative les uns par rapport aux autres, des muscles individuels et des groupes de muscles, ainsi que des articulations.

Exercice

✔ Pour bien comprendre ce qu'est le sens «kinesthésique»:

1. Fermez les yeux.

2. Levez lentement un des bras sur le côté.

3. Sans rouvrir les yeux, voyez si vous pouvez visualiser mentalement où votre bras se situe exactement dans l'espace.

4. Si vous avez pu localiser la position de votre bras dans l'espace sans ouvrir les yeux, c'est votre sens «kinesthésique» qui vous a permis de le faire.

Figure 19 : Cet homme pense qu'il se tient droit mais il est penché vers l'arrière

Et si, comme l'a découvert Alexander, ce sens peut nous fournir des informations fausses, il peut alors y avoir de fâcheuses implications. L'exemple le plus courant de perception sensorielle erronée, quand on enseigne la méthode Alexander, c'est de constater l'incapacité des élèves de dire à quel moment ils se tiennent vraiment bien droits. Beaucoup de gens pensent qu'ils se tiennent bien droits, alors qu'en réalité ils sont légèrement penchés vers l'arrière. Et cette particularité se vérifie encore mieux en groupe: chacun des participants voit que ses congénères sont penchés vers l'arrière, mais tous, individuellement, pensent se tenir droits.

Cette perception est tellement ancrée en nous-mêmes que lorsque je corrige la position de quelqu'un pour l'amener à se tenir effectivement droit, il a la sensation d'être légèrement penché en avant, et parfois à un point tel qu'il a l'impression de tomber en avant. Comme énormément de gens passent la plus grande partie de leur temps d'éveil dans une position déséquilibrée, leurs muscles sont constamment sous tension.

Les bonnes et les mauvaises positions

Afin de pouvoir effectuer en nous-mêmes les changements nécessaires, pour pouvoir bouger d'une nouvelle façon mieux appropriée, nous devons d'abord prendre conscience de ce qui ne va pas. Alexander a dit un jour:

«Le bon geste à accomplir devrait être la dernière chose que nous devrions faire, livrés à nous-mêmes, car elle devrait être la dernière chose que nous penserions être la bonne chose à faire. Tout le monde a envie de bien faire,

mais personne ne prend le temps de considérer si son idée de ce qui est bien est effectivement la bonne. Aux yeux des gens qui se trompent, la bonne chose à faire peut sembler être la mauvaise.»

Le problème est donc assez complexe, en fait. La nature humaine veut que nous nous asseyions, nous levions, nous tenions debout ou bougions de la manière qui nous semble la plus confortable. Il ne nous viendrait pas à l'esprit de bouger d'une façon qui nous soit inaccoutumée ou même qui nous semble étrange. Et c'est pourtant ce qu'il nous faut faire. Rappelez-vous, Alexander est arrivé à cette découverte uniquement grâce à l'aide du miroir. Il s'est senti découragé quand il s'est rendu compte qu'il faisait exactement l'inverse de ce qu'il avait l'intention de faire; qu'il essayait, par exemple, de tenir sa tête bien droite et en avant, alors qu'en réalité il la tirait vers l'arrière, d'une façon encore plus prononcée qu'avant.

Figure 20 : Une enseignante de la méthode Alexander agit sur la tonicité des muscles de son élève afin d'en atténuer les tensions.

Alexander avait l'habitude de conseiller à ses élèves d'insister sur leur faux mouvement pour qu'ils aient une chance d'accomplir le bon.

Dès le plus jeune âge, nous sommes conditionnés à faire les choses correctement. Nous sommes récompensés quand nous faisons «bien», et punis quand nous faisons «mal». Et tout comme le chien de Pavlov, nous nous forgeons peu à peu des idées précises sur ce qui est bien et ce qui est mal, sur ce qui est juste et ce qui est faux. Ces idées se construisent à partir de ce qui nous est enseigné à l'école et par nos parents, et nous avons assez peu l'occasion de penser par nous-mêmes. Il suffit de considérer notre Histoire! A une certaine époque, en Europe, on *«savait»* que la terre était plate. Tout le monde en était tellement convaincu que quiconque osant penser autrement ou remettre en question cette certitude était publiquement ridiculisé ou traité de fou. Il a fallu attendre que Christophe Colomb fasse le tour de la terre sur son navire pour que ces peuples admettent leur erreur. De la même façon, nous avons ancré en nous de nombreux concepts erronés à propos de nous-mêmes et nous mettrions qui que ce soit au défi de nous prouver le contraire!

Pour trouver notre chemin parmi toutes ces illusions et ces réalités, il est important de garder l'esprit ouvert et le sens de l'humour. Quand l'élève commence à réaliser que les idées sur lesquelles il s'était appuyé jusqu'à présent étaient basées sur de faux principes, il commence à ressentir une certaine confusion. Mais cette confusion fait rapidement place à la prise de conscience de ce qui est vrai et de ce qui ne l'est pas.

Pour découvrir d'autres aspects de la perception sensorielle erronée, essayez les exercices suivants:

Exercice 1

1. Fermez les yeux.

2. Levez l'index de la main droite au niveau des yeux et
sur la même ligne que votre oreille droite.

3. Levez l'index de la main gauche pour qu'il soit également au niveau des yeux et sur la même ligne que votre
oreille gauche.

4. Gardez les yeux fermés et essayez d'aligner vos deux
index et de les tenir tous deux bien droits en l'air.
5. Ouvrez les yeux et voyez si votre perception coïncide
avec la réalité.

Exercice 2

1. Demandez à un ami de se tenir debout face à vous, les
yeux fermés.

2. Demandez-lui ensuite de lever les bras tendus à la hauteur de ses épaules.

3. Vérifiez d'abord si l'un des bras n'est pas plus haut que
l'autre, et ensuite, s'ils sont effectivement à la hauteur des
épaules.

Exercice 3

1. Fermez les yeux.

2. Tapez dans vos mains de sorte qu'elles soient en contact symétrique l'une avec l'autre (c'est-à-dire que les doigts de chaque main soient en contact précis les uns avec les autres).

3. Ouvrez les yeux et voyez si votre geste a été précis.

Les effets et les implications d'une perception sensorielle erronée peuvent se voir clairement sur les personnes âgées dont le corps s'est distordu ou s'est courbé à force d'avoir essayé de compenser leur manque de coordination. La seule façon, pour une personne, de progresser, et d'acquérir finalement des perceptions sensorielles plus fiables, est d'accepter de faire des mouvements et des gestes qui, au départ, ne lui semblent absolument pas naturels. Très vite, cependant, ces nouveaux gestes lui sembleront naturels, et ce sont ses anciennes habitudes qui lui sembleront désormais maladroites.

Il est important de souligner que la notion de *«perceptions non fiables»* ne concerne que les perceptions sensorielles et non les perceptions émotionnelles. Toutefois, on peut dire que la perception erronée de soi-même peut affecter l'état physique, ce qui finit par affecter également l'état émotionnel. Nos émotions finissent par dominer complètement notre raison. Nous avons alors une vision brouillée de ce qui nous semble être vrai, troublant ainsi notre perception de ce qui est bon et mauvais. Ainsi s'installe le cercle vicieux.

Exercice

✔ Tenez-vous de côté devant un miroir, dans une position qui vous semble être bien droite. Veillez à vous tenir aussi droit que vous pouvez. Puis regardez-vous dans la glace et voyez si votre perception correspond bien à la réalité. Si ce n'est pas le cas, rectifiez votre position de manière à être effectivement bien droit, et demandez-vous si vous vous percevez d'une manière fiable. Consacrez assez de temps à cet exercice pour pouvoir vous observer le plus en détail possible.

9

L'INHIBITION

«Nous sommes la seule expérience de la nature visant à prouver que l'intelligence rationnelle est plus forte que les réflexes.

Le succès ou l'échec de cette expérience dépend de la capacité humaine essentielle de pouvoir imposer un délai entre le moment où se produit le stimulus, et la réaction qui en découle.»

Bronowski

Le mot «*inhibition*» est employé couramment pour décrire l'acte de s'imposer à soi-même une retenue dans son comportement ou ses émotions, depuis que Sigmund Freud a utilisé le terme dans ce sens dans ses écrits sur la psychanalyse.

Aujourd'hui, la définition du mot est la suivante:

> «ACTION D'UN FAIT PSYCHIQUE
> QUI EMPÊCHE D'AUTRES FAITS
> DE SE PRODUIRE
> OU D'ARRIVER À LA CONSCIENCE.»

En d'autres termes, l'inhibition est la retenue de l'expression directe d'un acte instinctif.

Alexander s'est rendu compte que pour faire les modifications qu'il souhaitait dans la manière d'utiliser son corps, il devait d'abord inhiber (ou stopper) ses réactions instinctives habituelles à un stimulus donné. En marquant un temps d'arrêt avant d'accomplir un acte, nous avons ainsi le temps d'utiliser les pouvoirs de notre raison et de vérifier quelle est la manière la plus efficace et la plus appropriée d'accomplir cet acte. C'est un premier pas vital vers le pouvoir de choisir librement dans tous les domaines.

Avant que le corps puisse utiliser un de ses instruments pour accomplir une action, il doit d'abord être utilisé comme un instrument d'inaction. La capacité de retarder (d'interrompre) nos réactions, jusqu'à ce que nous soyons préparés de manière adéquate, est ce que l'on entend par «*inhibition*».

Ce moment de pause avant l'action n'a rien à voir avec le gel ou la suppression de cet acte, ni avec le fait de l'accomplir lentement.

L'inhibition instinctive

◆ ◆ ◆

Le meilleur exemple d'inhibition naturelle et instinctive est le chat. Observez un chat au moment où il repère la présence d'une souris. Il ne se précipite pas immédiatement pour capturer sa proie, mais il attend le moment approprié pour se donner le maximum de chances de réussite.

«Le chat inhibe son désir de sauter trop tôt sur la souris, et il contrôle volontairement son impatience pour arriver à ses fins et jouir du plaisir de satisfaire son appétit naturel.»

Frederick Matthias Alexander

Il est intéressant de noter également que les chats, bien qu'ils soient un bon exemple d'inhibition et de contrôle sur eux-mêmes, sont aussi parmi les créatures les plus rapides du monde. La capacité des chats de marquer ainsi des temps d'arrêt avant d'agir est instinctive; en d'autres termes, c'est une fonction automatique de leur subconscient. L'homme, au contraire, a la capacité potentielle d'exercer un contrôle conscient sur ses actes, et c'est cette différence qui marque clairement la démarcation entre le monde animal et le monde humain.

Alexander était profondément convaincu que nous devions apprendre à différer nos réactions instantanées aux nombreux stimuli qui nous bombardent chaque jour, si nous voulions arriver à gérer et nous mouvoir à l'aise dans un environnement en constante évolution. A mesure qu'a diminué notre dépendance directe envers notre corps, pour notre subsistance, notre instinct est peu à peu devenu beaucoup moins fiable, et il est maintenant nécessaire, par le biais de l'inhibition, de combler ce fossé en employant nos pouvoirs conscients.

L'inhibition consciente

Si nous voulons modifier nos réactions habituelles à un stimulus donné, nous devons prendre la décision consciente de refuser d'agir selon nos vieux modèles, automatiques et inconscients; c'est-à-dire de savoir dire «non» à nos habitudes profondément ancrées.

En sachant inhiber notre réaction instinctive initiale, nous avons ainsi le choix de prendre une décision totalement différente. L'inhibition est un pas essentiel à franchir quand on commence à pratiquer la méthode Alexander. On retrouve cette idée dans de nombreux proverbes, dictons ou formules populaires tels que:

- Il faut regarder avant de traverser.

- Chi va piano va sano.

- Il faut tourner sa langue sept fois dans sa bouche avant de parler.

- Plus on se dépêche et moins on va vite.

- Vite fait mal fait.

- Il faut réfléchir avant de parler.

- Laisse-toi mener par ta raison (proverbe grec).

- Rien ne sert de courir, il faut partir à point.

Si vous êtes capable de vous empêcher de réagir selon votre habitude, alors vous avez déjà franchi la moitié du chemin. Se retenir d'accomplir un acte ou l'accomplir effectivement sont tous deux des actes bien réels dans la mesure où ils requièrent tous deux les services du système nerveux. Il est possible également, et en fait souhaitable, d'inhiber toutes les habitudes et les tendances indésirables non seulement avant, mais aussi pendant l'action.

Exercices

1. Chaque fois que le téléphone sonne ou que quelqu'un sonne à votre porte, attendez deux secondes avant de vous manifester. (Peut-être cet exercice va-t-il vous sembler plus difficile à faire que vous ne le pensez.)

2. Chaque fois que vous prenez part à une discussion très animée et controversée, essayez de compter mentalement de 10 à 1 avant de répondre. (En plus de vous fournir un bon moyen pour exercer votre inhibition, cela vous laisse le temps de bien réfléchir à l'idée que vous souhaitez faire passer.)

3. Choisissez une activité simple, telle que vous laver les dents ou faire votre toilette et, à certains moments, stoppez complètement votre mouvement pour prendre conscience de toute tension qu'il pourrait y avoir dans votre corps à ce moment-là. Si vous faites cela chaque jour, plusieurs jours de suite, vous découvrirez vraisemblablement que ces points de tensions sont toujours les mêmes, d'un jour à l'autre. Essayez, si possible, de dénouer alors toutes les tensions que vous ressentez, puis reprenez votre activité en vous demandant si vous vous sentez un peu différent.

4. (a) Posez une chaise face à un miroir.

   (b) Asseyez-vous et levez-vous comme vous le faites d'habitude et voyez si vous remarquez quelque tendance habituelle que ce soit. (Quelque chose qui se produit à chaque fois, par exemple.) Mais ne vous inquiétez pas si vous ne remarquez rien.

(c) Renouvelez l'opération, mais cette fois, marquez un temps d'arrêt avant d'accomplir votre geste, et refusez de vous asseoir et de vous lever de votre manière habituelle. Vous vous apercevrez rapidement qu'il y a de nombreuses façons d'accomplir le même acte.

(d) Voyez si vous notez une différence, quelle qu'elle soit, entre la première et la deuxième façon d'accomplir l'acte. (Vous pouvez soit constater une différence en vous regardant dans la glace, soit sentir une différence sur le plan sensoriel.)

Peut-être aurez-vous à pratiquer plusieurs fois l'exercice ci-dessus avant d'obtenir des résultats.

Une des tendances les plus flagrantes qu'Alexander a remarquées sur lui-même était sa propension à contracter ses muscles du cou, en particulier le sterno-cléido-mastoïdien, ainsi que le trapèze. Il pensait au début que ce phénomène était dû à une simple habitude personnelle, mais des observations plus approfondies lui ont démontré que ce n'était pas du tout le cas, que cette tension des muscles du cou était pratiquement universelle.

Quand on a cette habitude, on a toujours tendance à mettre la tête en arrière, sur la colonne vertébrale, compressant ainsi les disques intervertébraux, et raccourcissant toute la structure. Cette pression constante sur la colonne vertébrale explique en grande partie pourquoi on rapetisse avec l'âge. Le fait de rejeter la tête en arrière à une incidence énorme sur ce qu'Alexander appelle le «contrôle primaire». Comme je l'ai mentionné dans le chapitre 2, c'est le terme employé pour un système de réflexes situé dans la zone du cou, et qui a le pouvoir de contrôler tous les autres réflexes et permet la bonne coordination du corps ainsi que son équilibre. Ce contrôle est qualifié de *«primaire»* car si quelque chose interfère dans cette action réflexe, tous les autres réflexes du corps en sont affectés.

Si nous jetons régulièrement la tête en arrière, et agissons ainsi sur le *«contrôle primaire»*, les implications sont alors vraiment sérieuses. Notre coordination et notre équilibre vont être sérieusement affectés, et nous allons être obligés de nous tenir de manière rigide pour éviter de perdre l'équilibre. Autrement dit, pour effectuer un mouvement, nous allons devoir agir contre nous-mêmes.

Pendant sa leçon de conduite, l'élève qui agrippe trop fort le levier de vitesse d'une main aura peut-être du mal à bien bouger le volant de l'autre. A une époque, il m'est arrivé d'être moniteur d'auto-école, et beaucoup d'élèves m'ont demandé s'il n'y avait pas un problème à la voiture car ils trouvaient le volant bien dur à tourner !

L'évidence expérimentale

Dans les années 20, Rudolph Magnus, professeur de pharmacologie à l'Université d'Utrecht, s'est mis à explorer le rôle que jouaient nos mécanismes physiologiques sur notre bien-être mental et émotionnel. Magnus a été frappé par la fonction centrale des réflexes qui dirigeaient la position de la tête de l'animal par rapport au reste de son corps et de son environnement. Lui et ses confrères ont mené une série d'expériences pour établir la nature et la fonction des réflexes de posture à travers tout le corps. Il a écrit plus de trois cents articles sur le sujet, soulignant le fait que les muscles du cou et de la tête étaient ceux qui exerçaient le contrôle central, responsable de l'orientation de l'animal dans son environnement, de sa position par rapport à un but donné et de sa mise au repos après l'action.

Les expériences de Magnus ont confirmé ce qu'Alexander avait lui-même découvert un quart de siècle plus tôt, à savoir que chez tous les animaux, le mécanisme du corps est fait de telle façon que c'est la tête qui dirige les mouvements, et que le reste du corps suit.

Rétrospectivement, cela semble évident car tous les sens se situent dans la tête, et si nous suivons ce que nous dictent nos sens, ainsi qu'est conçu notre corps, notre tête doit automatiquement nous indiquer le chemin à prendre. Ce phénomène se produit naturellement chez tous les animaux, mais pas chez l'homme. On constate clairement que ce dernier a plutôt tendance à mettre la tête en arrière en accomplissant ses mouvements.

Exercice

Pour constater vous-même que c'est une tension excessive des muscles du cou qui nous fait mettre la tête en arrière pendant un mouvement, suivez les différentes étapes suivantes:

1. Asseyez-vous sur une chaise.

2. Placez la main gauche sur la partie gauche du cou, et la main droite sur la partie droite du cou, afin que vos deux majeurs se rejoignent sur les vertèbres cervicales (à la base du crâne).

3. Levez-vous.

4. Puis asseyez-vous de nouveau.

5. En étant très attentif à vos doigts pendant que vous vous asseyez et vous levez, vous pourrez détecter le mouvement de tête vers l'arrière. Notez cette impression d'avoir le cou enserré entre vos doigts. Elle indique la tension du cou et révèle le mouvement de tête vers l'arrière.

> 6. Pratiquez cet exercice plusieurs fois: il se peut que vous
>   ressentiez une tension plus grande aux deuxième et
>   troisième fois.

L'autre découverte majeure de Magnus est ce qu'il a appelé: *«le réflexe de rajustement»*. Il avait remarqué qu'après un acte exigeant une grande tension (par exemple un chat sautant sur une table), une série de *«réflexes de rajustement»* se mettait en place pour redonner au corps sa position initiale (aussi bien chez les animaux que chez les humains). La relation qui existe entre la tête, le cou et le dos est essentielle lorsque ce processus de rajustement se met en route. Par conséquent, lorsqu'une personne raidit les muscles de son cou et met la tête en arrière, non seulement elle empêche la bonne coordination de son corps, mais elle l'empêche aussi de revenir, après un effort, à sa position normale, aisée, naturelle et équilibrée.

«L'Homme, quel chef-d'œuvre! Quelle noblesse dans sa raison! Quelles facultés infinies! Quelle manière efficace et admirable de se mouvoir! Quel ange dans ses actes! Quel dieu dans ses perceptions! La beauté du monde! Le plus abouti des animaux!»

William Shakespeare (*Hamlet*)

A propos du passage ci-dessus, Alexander a fait un jour le commentaire suivant:

«A présent, ces paroles me semblent contradictoires par rapport à ce que j'ai découvert sur moi-même et sur les autres. En effet, quel homme (ou quelle femme) peut avoir moins de "noblesse dans sa raison" ou moins de "facultés infinies" que celui (ou celle) qui, malgré ses potentialités, fait un usage aussi erroné de son corps, atténuant ainsi tel-

lement ses qualités de fonctionnement que, quoi qu'il fasse,
il aggrave son état physique? En conséquence, aujourd'hui,
de combien d'hommes et de femmes pourrait-on dire
"Quelle manière efficace et admirable de se mouvoir", par
rapport à l'utilisation qu'ils ou elles font de leur corps? En
ce domaine, peut-on toujours considérer l'Homme comme
"le plus abouti des animaux"?»

Cependant, si nous arrivons à inhiber cette habitude
inconsciente de contracter les muscles du cou, cela va nous
libérer tout le corps et lui permettre d'agir d'une manière
aussi agréable à regarder qu'à accomplir.

Exercice

✔ Tenez-vous debout, les deux bras pendant le long du corps. Restez un moment sans bouger dans cette position pour bien prendre conscience de ce que vous ressentez par rapport à vos bras. Ressentez-vous la même chose à propos des deux ou l'un des deux vous semble-t-il plus long, plus lourd, ou plus libre que l'autre?

✔ Sans réfléchir, levez un de vos bras à hauteur des épaules. Tenez un moment cette position, puis relâchez et laissez retomber votre bras le long du corps. Faites de même avec l'autre bras, mais auparavant, inhibez un instant votre mouvement pour être conscient de tous les détails du geste lorsque vous l'accomplirez.

Notez si vous ressentez une différence entre vos deux bras après avoir pratiqué l'exercice. Les gens ressentent souvent une sensation de légèreté dans le deuxième bras, qu'ils n'ont pas avec le premier.

10

DIRIGER
SON CORPS

«Vous devez donc apprendre à inhiber et à diriger votre activité. D'abord, vous apprenez à inhiber votre réaction habituelle à certains types de stimuli, et ensuite, à vous diriger vous-même consciemment de manière à solliciter de nouveaux muscles dont le fonctionnement induit une nouvelle réaction à ces stimuli.»

Frederick Matthias Alexander

Au cours de ses années d'expérimentation, Alexander a été amené à considérer à fond toute la question de la direction du corps. Il a dû admettre qu'il n'avait encore jamais réfléchi à la façon dont il se dirigeait lui-même. Il avait acquis des habitudes qui lui semblaient *«naturelles»* et *«bonnes»* pour lui. Aussi, à ce stade, a-t-il commencé à formuler de vraies instructions, à se donner des ordres pour compenser son manque de capacité à bien se diriger naturellement.

Savoir se diriger soi-même peut se définir ainsi:

C'EST UN PROCESSUS PAR LEQUEL
ON PROJETTE DES MESSAGES
DU CERVEAU AUX MÉCANISMES DU CORPS,
ET PAR LEQUEL ON DIRIGE
L'ÉNERGIE NÉCESSAIRE
À L'USAGE DE CES MÉCANISMES.

Il vous est possible de diriger certaines parties spécifiques de vous-même (par exemple, vous pouvez penser à étirer vos doigts) ou de vous diriger tout entier (en vous étirant complètement). Vous pouvez aussi vous diriger dans l'espace en décidant consciemment de l'endroit où vous voulez aller et de la façon dont vous allez y arriver.

Les principales zones à diriger

Alexander s'est aperçu que la racine de nombreux problèmes venait de cette tension excessive des muscles du cou qui interférait dans le *«contrôle primaire»*, mettant ainsi l'ensemble du corps en déséquilibre. Il a réalisé que le premier pas à faire, et aussi le plus important, était de savoir donner à son corps les bonnes instructions pour amoindrir ces tensions dans la zone du cou, afin de pouvoir rétablir le fonctionnement normal du *«contrôle primaire»*.

Voici quelles sont ses trois principales instructions:

1. Libérer votre cou,
   de façon à…

2. Tenir la tête en avant et bien droite
   pour que…

3. Le dos puisse s'allonger et s'élargir.

Libérez votre cou

Le but de cette instruction est d'arriver à éliminer l'excès de tension qui existe presque toujours dans les muscles du cou. Ceci est essentiel pour que la tête puisse être libre par rapport au reste du corps, afin que le *«contrôle primaire»* puisse fonctionner normalement. Ce devrait toujours être la première instruction à donner aux élèves car si le *«contrôle primaire»* ne peut organiser le fonctionnement du reste du corps, les instructions suivantes vont s'avérer assez inefficaces.

Laissez votre tête se diriger
vers l'avant et vers le haut

Cette instruction aide les mécanismes du corps à fonctionner naturellement et librement. Comme nous l'avons vu dans le chapitre 7 (Le mécanisme du mouvement), la tête est en équilibre de telle manière, sur la colonne vertébrale, que lorsque les muscles du cou sont relâchés, la tête part légèrement en avant, ce qui donne l'impulsion du mouvement à tout le corps. Mais si vous ne pensiez pas à lever la tête vers le haut en même temps que vous la laissez aller vers l'avant, elle tomberait inévitablement en avant, provoquant une tension musculaire excessive dans la zone du cou. Il est important de bien comprendre que ce mouvement de tête en avant correspond à un déplacement de la tête vers le haut par rapport à la colonne vertébrale (comme si vous alliez faire un signe de tête affirmatif).

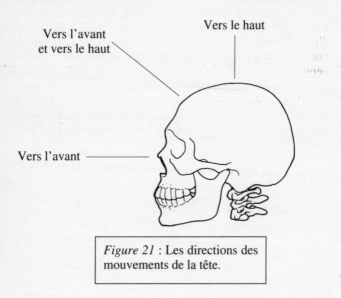

Vers l'avant
et vers le haut

Vers le haut

Vers l'avant

Figure 21 : Les directions des mouvements de la tête.

Laissez votre dos s'allonger et s'élargir

Sachant que la colonne vertébrale se raccourcit sous l'effet d'une trop grande tension musculaire due au port de la tête en arrière, vous avez donc intérêt à allonger toute votre structure. En fait, beaucoup de gens qui pratiquent la méthode Alexander grandissent de deux ou trois centimètres (parfois plus) au cours de leur pratique! La raison pour laquelle un élargissement du torse est également indiqué est que le processus d'élongation, à lui seul, a tendance à rétrécir le torse.

Ces trois instructions de base sont en elles-mêmes très simples et très directes. Cependant, du fait de notre *«kinesthésique corrompue»* (un des termes favoris d'Alexander), elles peuvent être déroutantes au début. En effet, elles sont d'une grande simplicité et nous avons l'habitude de réfléchir d'une manière plus compliquée. Par ailleurs, nous avons du mal à imaginer que la solution à nos problèmes existant depuis longtemps puisse, en fait, être aussi simple. Nous vivons dans un monde qui va vite, et quand nous n'obtenons pas immédiatement de résultats, nous pensons que cela vient de nous. Soyez patient et observateur, et prenez conscience que vous êtes en train de changer les habitudes de toute une vie.

Les autres instructions

Il y en a beaucoup d'autres, et elles sont même trop nombreuses pour être toutes mentionnées. Alors que les trois instructions de base peuvent être appliquées par tout le monde, ces instructions secondaires sont davantage adaptées en certains cas ou pour certains troubles. Par exemple, si une personne vient me consulter à cause de ses épaules voûtées, je peux lui donner comme instruction:

«Pensez que vos épaules s'éloignent l'une de l'autre.»

Et si telle autre se plaint d'arthrite dans les doigts, je pourrais lui dire:

«Pensez à vos doigts en train de s'allonger.»

Voici quelques exemples d'instructions secondaires fréquemment employées dans l'enseignement de la méthode:

En étant assis

- Pensez que vos épaules s'éloignent l'une de l'autre.

- Pensez à votre bassin bien en appui sur votre siège.

- Pensez que vos pieds s'allongent et s'élargissent.

- Pensez à l'étirement entre le poignet et le coude.

- Pensez à laisser tomber vos épaules.

- Pensez à laisser tomber vos coudes.

- Pensez au poids de vos jambes tombant dans vos pieds.

- Pensez à vos mains qui s'allongent et qui s'élargissent.

- Pensez à vos doigts qui s'étirent.

- Pensez à vos orteils qui s'étirent.

- Pensez à ne pas arrondir votre dos.

- Pensez à ne pas laisser tomber votre cage thoracique.

En étant debout

La plupart des instructions ci-dessus, plus:

- Pensez à une élongation totale, des pieds à la tête.

- Pensez à répartir équitablement le poids de votre corps sur la plante des pieds.

- Pensez à ne pas tendre les genoux en arrière.

- Pensez à ne pas avoir les hanches en avant.

- Pensez à une élongation entre le nombril et le haut du buste.

- Pensez à ne pas contracter les fesses.

• Pensez à laisser tomber vos bras de vos épaules.

• Pensez à la connexion qui existe entre la tête et les pieds.

En marchant

Là encore, une grande partie des instructions ci-dessus, plus:

• Pensez à écarter un peu vos genoux l'un de l'autre.

• Pensez à vos genoux à l'aplomb de vos orteils.

• Pensez à relâcher l'épaule gauche et la hanche droite.

• Pensez à relâcher l'épaule droite et la hanche gauche.

• Pensez au poids du corps passant des talons à la zone des orteils.

• Pensez à votre torse montant et descendant entre vos hanches.

Il existe encore bien d'autres instructions pouvant convenir aux besoins de chacun, mais les trois instructions de base précèdent toujours les autres instructions pouvant être données.

La formule *«Pensez à...»* peut très souvent être substituée par la formule *«Laissez votre...»*. Cela dépend des professeurs et de la préférence des élèves. Il est intéressant de voir si ces formules produisent des effets différents sur le corps. La chose la plus importante à se rappeler est qu'il faut «penser» pour arriver au changement, et non pas essayer de faire n'importe quoi pour que ça change. Comme je l'ai déjà dit, quand vous essayez de faire quelque chose, cela augmente toujours la tension musculaire, ce qui est l'inverse du but recherché.

Le dernier type d'instruction est de penser à diriger votre corps dans son ensemble, comme une entité globale: *«Quelle direction suis-je en train de prendre?»*

Exercice

1. Regardez un objet de votre choix.

2. Sans quitter l'objet des yeux et sans bouger de votre place, pensez que vos yeux s'en rapprochent de plus en plus.

3. Votre tête commence à se diriger vers l'objet, laissez le reste de votre corps suivre ce mouvement.

«Il n'y a rien de tel que la bonne position, mais rien ne remplace la bonne direction.»

Frederick Matthias Alexander

Les gens associent souvent la méthode Alexander à une manière de tenir son corps dans certaines positions, mais c'est exactement l'inverse. En fait, c'est la tête qui empêche le reste du corps d'être libre, quelle que soit la position qu'il adopte.

L'incidence de la pensée sur notre fonctionnement

Il n'est pas facile de croire que la pensée, à elle seule, puisse opérer en nous des changements aussi radicaux, mais mon expérience en tant qu'enseignant de la méthode Alexander m'a permis de constater ce changement dans des centaines de cas. Cela fonctionne vraiment. Vous pourrez aussi constater les effets de la pensée sur votre organisme en pratiquant les exercices suivants:

Exercice 1

Pratiquez cet exercice sur vous-même, et ensuite sur un proche.

1. Le poids d'un bras est d'environ 4 kilos (pensez à quatre paquets de sucre). Avec cette idée en tête, commencez à lever lentement les bras de chaque côté du corps.

2. Comptez environ 30 secondes jusqu'à ce que vos bras soient à l'horizontale. Gardez constamment en tête le poids réel de vos bras.

3. Tenez la position horizontale de vos bras pendant encore 30 secondes pour bien sentir à quel point ils sont lourds (quatre paquets de sucre au bout de chaque bras!).

4. Faites tout doucement redescendre vos bras jusqu'à leur position initiale.

5. Prenez une minute ou deux pour noter (mentalement ou par écrit) ce que vous ressentez dans les bras.

6. Attendez quelques minutes que vos bras vous procurent de nouveau une sensation normale, au besoin, agitez-les un peu.

7. A présent, laissez vos bras pendre de chaque côté et imaginez que vous avez un ballon coincé entre le bras et la cage thoracique, de chaque côté.

8. Maintenant, imaginez que ces deux ballons se gonflent tout doucement, simultanément.

9. A mesure que ces ballons se gonflent, ils vous lèvent doucement les bras de chaque côté.

10. Une fois que vos bras sont à la hauteur de vos épaules, imaginez qu'ils sont douillettement en appui sur les ballons.

11. A présent, imaginez que l'air s'échappe très lentement des ballons et que vos bras redescendent doucement à leur place initiale.

12. Notez la sensation que vous procurent vos bras maintenant, et si vous ressentez une sensation différente de celle du début de l'exercice. Si vous ressentez une différence, c'est donc bien la preuve que la pensée joue effectivement un rôle sur notre fonctionnement car vous avez effectué exactement les mêmes gestes dans la première partie de l'exercice et dans la seconde.

Exercice 2

1. Demandez à un ami de penser à son front, puis poussez-le pour essayer de le déséquilibrer pendant qu'il résiste.

2. Renouvelez ensuite l'opération mais après avoir demandé à votre ami d'imaginer que son pied est enraciné dans le sol.

3. Ressentez-vous une différence quant à l'effort nécessaire pour tenter de déséquilibrer cette personne lorsque sa pensée est différente?

Exercice 3

Cet exercice va vous démontrer clairement le pouvoir de l'esprit sur le corps:

1. Allongez-vous confortablement. Fermez les yeux et imaginez-vous dans une situation que vous trouvez stressante telle qu'être pris dans un embouteillage alors que vous avez un rendez-vous important, ou vous faire réprimander par un supérieur.

2. Au bout d'une minute ou deux, notez à quel point vos muscles se sont tendus pendant que vous pensiez à cette situation.

3. Faites le vide dans votre esprit et pensez maintenant à une situation qui vous est merveilleusement agréable, telle qu'être allongé sur une plage sous les tropiques ou faire une promenade sur un sentier de campagne, au printemps, avec votre meilleur ami.

4. De nouveau, au bout d'une minute ou deux, prenez conscience de votre corps et notez comme il s'est relâché et détendu contrairement à tout à l'heure. Pourtant, vous n'avez même pas quitté la pièce. Le relâchement de votre tension musculaire ne s'est produit que par l'influence de votre esprit.

11

LES SENS, LES HABITUDES, ET LES CHOIX

«En quelques minutes, nous pouvons mettre un terme à une habitude que nous avons eue toute notre vie si nous utilisons notre cerveau.»

Frederick Matthias Alexander

A tout moment de notre vie éveillée, nos sens captent des informations dans le monde extérieur et les livrent à notre cerveau, ce qui nous permet de faire des choix. Cependant, jusqu'à quel point sommes-nous réellement conscients de ce qui se passe autour de nous, la plupart du temps? Nous avons toujours tendance à réfléchir sur ce qui s'est passé avant ou sur ce qui va se passer après. Nous sommes rarement dans le présent. Tout cela parce que dès le plus jeune âge, on nous encourage à penser à l'avenir.

Et pendant que nous nous préoccupons du passé ou de l'avenir, nous ne pouvons assister réellement au présent et accomplir nos activités en pleine conscience. Nous ne pouvons pas non plus faire de choix conscients et nous revenons donc toujours à nos modes de comportement automatiques habituels. Pour bien mettre en pratique la méthode Alexander, il nous faut être présents, ici et maintenant, afin de pouvoir faire des choix dans notre vie quotidienne. Ainsi, notre conscience devient plus éveillée et nos sens plus affû-

Exercice

1. Faites une promenade dans la campagne ou dans un parc voisin.

2. Prenez conscience de votre sens de la vue. Pendant environ cinq minutes, regardez intensément autour de vous et voyez tout ce qu'il y a à voir… les arbres, les nuages, l'herbe, etc.

3. Notez votre expérience par écrit.

4. A présent, prenez conscience de votre sens de l'audition… Que pouvez-vous entendre? Peut-être le vent dans les arbres, le rire ou les pleurs d'un enfant, le chant d'un oiseau…

5. De nouveau, notez votre expérience par écrit.

6. Maintenant concentrez-vous sur votre odorat… Quels parfums sentez-vous? Les fleurs? L'herbe grasse? La mousse?

7. Puis le sens du toucher et les sensations qu'il vous procure… Sentez-vous la brise dans vos cheveux? L'air sur votre visage, ou même l'air entrant et sortant de vos poumons et les battements de votre cœur?

8. De retour à la maison, préparez-vous quelque chose à manger et faites attention à votre sens du goût… La texture de la nourriture, les différentes saveurs qui viennent à vos papilles, etc.

9. Prenez un instant pour vous demander si vous vous êtes senti plus conscient que d'habitude.

tés.

Si vous pratiquez correctement cet exercice, vous devez voir, entendre, sentir, toucher et goûter les choses autour de vous avec plus d'acuité. Nous nous privons d'une grande partie de notre vie en ayant pris l'habitude d'accorder trop peu d'attention au moment présent. Et ceci à notre détriment, aussi bien physique que mental, émotionnel et spirituel.

Vous est-il déjà arrivé, en chemin pour faire des courses dans une boutique, de passer devant ladite boutique sans vous arrêter, tellement vous étiez absorbé dans vos pensées? Ou, pour la même raison, de rater votre sortie d'autoroute? Cela nous arrive à tous fréquemment. C'est ce qu'Alexander appelait *«l'habitude d'errance de l'esprit»*.

Un de mes vieux amis et enseignant de la méthode a dit un jour: *«Le Créateur a offert à l'homme le don de la pensée. Mais c'est l'homme qui s'offre à lui-même le contenu de cette pensée.»* Nous avons toujours le choix de penser à telle chose ou à telle autre, mais nous laissons généralement notre pensée vagabonder, et quand nous essayons d'exercer un contrôle sur elle, nous trouvons cela pratiquement impossible. Il va peut-être vous sembler difficile et fastidieux, au début, de vous imposer des voies de réflexion, mais je vous assure que la persévérance produit d'excellents résultats.

Les habitudes

La définition du dictionnaire du mot *«habitude»* est la suivante:

LE COMPORTEMENT INDUIT PAR LA RÉACTION AUTOMATIQUE À UNE SITUATION SPÉCIFIQUE.

Nous allons considérer deux types d'habitudes: les conscientes et les inconscientes.

Les habitudes conscientes

Ce sont les habitudes dont nous avons déjà conscience, telles que:

- S'asseoir toujours sur la même chaise
- Manger chaque jour à heures régulières
- Fumer
- Boire
- Nous laver les dents après chaque repas
- Nous ronger les ongles

• Agiter les pieds

• Ne pas refermer le bouchon du dentifrice

etc.

Certaines de ces habitudes sont totalement inoffensives, certaines sont même bénéfiques, mais dans l'ensemble, elles ont plutôt tendance à être au détriment de notre bien-être naturel et spontané. En étant conscient de ces habitudes, vous pouvez y mettre un terme si vous le décidez.

Les habitudes inconscientes

Ce sont celles auxquelles Alexander se réfère constamment. Elles sont bien sûr trop nombreuses pour être toutes citées, mais en voici quelques-unes:

• Contracter les muscles du cou

• Tendre ses genoux vers l'arrière

• Voûter le dos de manière excessive

• Agripper le sol avec les orteils

• Se tenir les hanches en avant

• Contracter les épaules

• Tenir la tête en arrière

• Comprimer la cage thoracique

etc.

Nous sommes tous concernés par certaines de ces habitudes inconscientes, si ce n'est toutes, et pour arriver à opérer un changement souhaitable en nous-mêmes, nous devons amener au stade de la conscience ce qui, pour l'instant, est inconscient. Il est impossible de changer une habitude dont nous ne sommes pas conscients. Nous devons absolument connaître les implications de nos vieilles habitudes non encore reconnues sur notre santé et notre bonheur.

Dans son livre «*La conscience du corps en action*», le professeur Frank Pierce Jones écrit:

«*Les habitudes ne sont pas un "fagot délié" d'actes isolés. Elles ont une interaction les unes avec les autres et forment ensemble un tout homogène. Qu'une habitude particulière soit consciente ou non, elle est toujours opérante et contribue au caractère et à la personnalité de l'individu. Une habitude ne peut être changée sans le contrôle intelligent d'un moyen approprié ou d'un mécanisme pour en sortir. Croire que l'on peut s'en sortir autrement relève de la magie. Néanmoins, les gens continuent à croire qu'en dictant des lois, en "souhaitant les choses très fort" ou en les "ressentant suffisamment fort", ils vont réussir à changer les comportements humains et arriver à des résultats satisfaisants. C'est de la superstition.*»

Il fait ensuite une citation du philosophe et écrivain John Dewey:

«*La vraie opposition n'est pas entre la raison et l'habitude, mais entre la routine ou l'habitude inintelligente, et l'habitude intelligente ou l'art. Les vieilles habitudes doivent être modifiées, même si elles ont produit de bons résultats. Le rôle de l'intelligence est de déterminer à quel niveau le changement doit s'effectuer.*»

Habitudes physiques, mentales et émotionnelles

Comme la méthode Alexander est basée sur le fait qu'il est impossible de dissocier les processus physique, mental et émotionnel, dans toutes les formes d'activités humaines, il en découle que toute habitude physique, dans notre vie, affecte notre état mental et émotionnel. C'est pourquoi, si effectivement vous arrivez à modifier votre manière habituelle d'agir, votre état d'esprit par rapport à la vie va, lui aussi, changer, ce qui modifiera finalement vos émotions.

Un sentiment de déprime et de manque d'épanouissement peut découler d'une utilisation inappropriée de notre corps, de notre esprit ou de nos émotions. En appliquant les principes de la technique (inhibition et direction), on peut modifier sa façon de penser et d'éprouver les choses.

Dans son livre *«Le contrôle constructif conscient de l'individu»*, Alexander consacre tout un chapitre à la notion de bonheur. Il écrit :

«Je vais maintenant m'efforcer de montrer que le manque de vrai bonheur, qui se manifeste chez la majorité des adultes aujourd'hui, est dû non seulement au fait qu'ils n'améliorent pas leur usage d'eux-mêmes, sur les plans psychique et physique, mais qu'ils le détériorent constamment un peu plus. A ceci s'ajoutent les défauts, imperfections, traits de caractère indésirables et autres particularités de tempérament propres aux personnes dont la coordination est imparfaite, et qui doivent lutter dans la vie car certains aspects de leur organisme psycho-physique sont mal "ajustés", conditions idéales pour générer des irritations et des tensions aussi bien pendant le temps d'éveil que pendant le sommeil. Tant que ces "mauvais ajustements" existent, les irritations et les tensions ne cessent d'augmenter jour après jour, de semaine en semaine, entretenant en nous un état psycho-physique insatisfaisant qui ressemble à de la déprime. L'irritation est incompatible avec le bonheur, et pourtant, l'être humain doit utiliser son organisme déjà irrité pour toutes les activités psycho-physiques qu'exige de lui son mode de vie civilisé. En toute logique, chaque effort fourni par un être humain dont l'organisme se trouve déjà dans un état d'irritation certain, représente une accentuation de son irritation et, à mesure que le temps passe, ses

chances de bonheur diminuent. De plus, ses moments de bonheur sont de plus en plus courts, l'obligeant finalement à se réfugier dans un état de "non-bonheur", ou de déprime, un état psycho-physique propice à la maladie.

L'état psycho-physique d'une personne souffrant d'irritation et de tension est tel que tous ses efforts, dans quelque direction que ce soit, se transforment plus ou moins en échec, et rien n'a plus d'impact, sur l'irritabilité de ces personnes, que d'échouer dans ce qu'elles entreprennent. Rien ne peut produire un effet pire sur nos émotions, le respect de nous-mêmes, le bonheur ou la confiance en soi, en fait, sur notre tempérament et sur notre caractère en général.»

En bref, notre façon d'être habituelle, celle qui nous a été inculquée dès notre plus tendre enfance, risque d'affecter notre bien-être physique et mental. Et ceci au détriment de notre bon fonctionnement, ce qui finit par générer de la frustration, de la hargne, un manque de confiance en soi et un état général de déprime ou de «non-bonheur». Peu à peu, ces états émotionnels vont eux-mêmes devenir des habitudes (voir figures 22 et 23).

Personne ne part dans la vie avec des sentiments de colère ou de frustration, personne ne souffre d'emblée d'un manque de confiance en soi ou de manque de respect de sa propre valeur. Ce sont des sentiments que l'on acquiert au fil de la vie et qui ne sont jamais inhérents à l'état mental ou émotionnel d'origine.

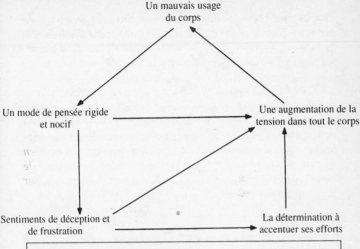

Figure 22 : Le cycle perpétuel de la discordance mentale, émotionnelle et physique.

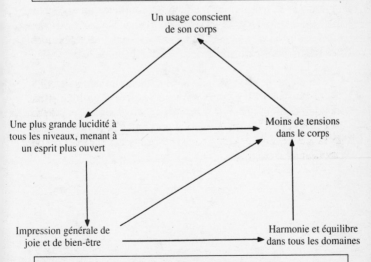

Figure 23 : Le cycle perpétuel de l'harmonie et du bien-être mental, émotionnel et physique.

Exercice

Les habitudes se créent souvent lorsque nous sommes inconscients des choses qui nous entourent.

Essayez, par exemple, de prendre conscience de la manière dont vous êtes assis le plus souvent. Notez les positions que vous reprenez constamment. Posez-vous les questions suivantes:

✔ Croisez-vous plutôt la jambe droite sur la gauche ou la gauche sur la droite?

✔ Dans quelle position sont vos pieds le plus souvent?

✔ Que faites-vous de vos bras et de vos mains?

✔ Croisez-vous généralement les bras et gardez-vous les mains en contact l'une avec l'autre?

✔ Avez-vous remarqué si vous avez la tête qui penche plutôt d'un côté ou de l'autre?

Figure 24 : Même lorsqu'ils sont en apparence détendus, les adultes, sans s'en rendre compte, maintiennent des tensions dans leur corps.

Le simple fait de vous poser les questions ci-dessus va vous aider à prendre conscience de certaines de vos habitudes.

Pour accentuer encore cette prise de conscience personnelle, essayez les exercices suivants.

Exercice 1

1. Mettez-vous debout, le poids du corps équitablement réparti entre les deux pieds.

2. A présent, portez le poids du corps sur la jambe droite en faisant basculer votre bassin vers la droite, et en veillant à ce que le pied gauche ne quitte pas le sol.

3. Maintenant, inversez le mouvement et faites basculer le poids du corps sur la gauche.

4. Celle des deux positions qui vous semble être la plus confortable correspond à votre position habituelle.

Exercice 2

✔ Essayez de presser une orange ou un citron de la main qui ne vous est pas habituelle (généralement la gauche puisqu'il existe une forte majorité de droitiers).

Exercice 3

1. Demandez à un ami de croiser les bras. Il fera probablement ce geste sans réfléchir.

2. Notez lequel des deux bras passe au-dessus de l'autre.

3. Demandez-lui alors de croiser les bras dans l'autre sens (le bras de devant passant donc à l'arrière).

> 4. Neuf personnes sur dix trouvent cela assez difficile.
>   Veillez à ce qu'effectivement votre ami ait bien croisé
>   les bras dans l'autre sens!

Comme nos habitudes physiques découlent invariablement de notre façon rigide de penser, avec nos idées préconçues et nos suppositions sans fondement, dès que nous prenons conscience des choses, et donc modifions notre manière de bouger, nous modifions aussi notre manière de penser.
En comprenant et en appliquant ces principes nécessaires au
réel équilibre du corps, nous trouvons toujours le moyen
d'enrayer nos nombreuses habitudes nocives.

Les choix

«Une possibilité, ce n'est pas un choix,
Deux possibilités, c'est un dilemme,
Trois possibilités, là est le vrai choix.»

Alan Mars

On nous dit que lorsque tout va mal, mieux vaut ne pas
sombrer dans le problème nous aussi. Mais c'est plus facile
à dire qu'à faire. Nous devons faire un choix conscient de ce
que nous sommes, et de ce que nous ne sommes pas, et il
faut que cette définition s'adapte à toutes les circonstances.
La liberté de faire de réels choix, dans la vie, mène finalement à la liberté d'esprit inhérente à chacun d'entre nous.
Cette liberté est essentielle si l'Homme veut retrouver sa
dignité et son honneur lui permettant de revendiquer sa juste
place dans ce monde.

Un des principaux enseignements d'Alexander est que même après avoir fait un premier choix, nous devrions rester suffisamment ouverts pour faire un autre choix.

Qu'est-ce que le choix?
C'est le pouvoir de prendre une décision
basée sur la raison et le discernement,
plutôt que sur la peur et l'habitude.

Je me souviens très bien d'une petite affiche que l'on voyait il y a quelque temps sur les murs, et qui disait: *«Deux mille singes ne peuvent se tromper!»* écrit en grosses lettres sur une photo où des centaines de singes étaient en train de sauter d'une falaise.

Je me souviens aussi d'une anecdote qui s'est déroulée l'été dernier alors que je rentrais chez moi en voiture, pris dans un gros embouteillage estival. Ma maison se trouve au fond d'une impasse. Aussi, quand j'ai quitté la file de voitures pour m'engager dans mon impasse, le conducteur derrière moi a tourné aussi, croyant que je connaissais un raccourci. Plusieurs voitures ont également suivi l'exemple, si bien qu'ils étaient finalement huit à bloquer l'impasse. Vous imaginez leur dépit quand ils m'ont vu me garer devant chez moi! C'est un incident amusant, mais il illustre bien la façon dont beaucoup de gens fonctionnent. Ils font comme les autres, plutôt que de réfléchir par eux-mêmes. Lors d'une enquête menée sur la population allemande, on a demandé aux hommes: *«Pourquoi êtes-vous allé faire la guerre, vous personnellement, en 1939?»* Une écrasante majorité d'entre eux a répondu: *«Parce que tout le monde y allait. Moi, je ne voulais pas y aller.»*

Exercice

Cet exercice démontre en quelques mots la méthode Alexander:

1. Décidez de faire un geste, n'importe lequel. Par exemple, décidez de lever le bras devant vous jusqu'à la hauteur des épaules.

2. Inhibez immédiatement votre geste avant de l'effectuer.

3. Donnez-vous d'abord les instructions suivantes:
   (a) Veiller à ce que le cou soit libre.
   (b) Veiller à ce que la tête soit vers l'avant et vers le haut.
   (c) Veiller à ce que le dos s'allonge, s'étire et s'élargisse.

4. Prenez pleinement conscience de ces instructions et appliquez-les jusqu'à ce qu'elles vous soient familières. Alors vous pourrez accomplir votre objectif: lever le bras.

5. Mais juste avant de le faire, reconsidérez votre décision initiale de lever le bras. Demandez-vous si finalement vous allez accomplir ce geste ou pas. Pourquoi ne pas lever la jambe, par exemple, ou faire autre chose?

6. A présent, vous devez prendre une nouvelle décision. Vous avez le choix entre:
   (a) Ne pas poursuivre votre but initial, mais continuer en ce cas à penser aux instructions données au paragraphe 3;
   (b) Décider de faire un geste différent (tel que lever la jambe au lieu du bras), et continuer à vous familiariser avec les instructions avant de l'accomplir;
   (c) Rester sur votre décision initiale de lever le bras, et vous répéter donc les instructions avant de le faire.

Cela peut vous sembler un chemin bien sinueux pour aboutir finalement à un acte tout simple. Mais dans ce processus réside le secret de la liberté de choix. Au début, il vous faudra un peu de temps pour accomplir ce processus. Mais avec un peu de pratique, vous finirez par le faire très vite.

La notion de base, dans les trois cas, c'est:

> *Arrêtez-vous,*
> *Prenez une décision,*
> *Mais à tout moment, continuez*
> *à vous familiariser avec les instructions.*

Ne l'oubliez pas:

> *Si vous faites ce que vous avez toujours fait...*
> *Vous obtiendrez ce que vous avez toujours obtenu.*

12

LES MUSCLES ET LES RÉFLEXES

«Tout le monde veut faire les choses bien, mais personne ne prend le temps de considérer si son idée du bien est juste.»

Frederick Matthias Alexander

Grâce à la méthode Alexander, nous apprenons à être davantage conscients de notre équilibre, de nos postures et de nos mouvements lors de toutes nos activités quotidiennes. La plupart des gens ont des idées différentes à propos du sens du mot *«posture»*. Il est souvent mal interprété comme étant «la façon dont nous nous tenons lorsque nous sommes assis ou debout», mais le verbe *«se tenir»* indique que nous devons *«faire»* quelque chose pour avoir une bonne posture.

Notre corps dispose en effet de tout un réseau de muscles nous permettant de rester en parfait équilibre dans un grand nombre de positions. Ce sont les muscles posturaux. Dans notre petite enfance, ils nous servaient à rester debout sans aucun effort, mais avec l'âge, nous avons peu à peu perdu l'usage de ces muscles. Nous avons progressivement tendance à nous tasser et nous nous contractons pour nous maintenir, ce qui met en action un réseau de muscles totalement différent de celui prévu à cet effet à l'origine.

Les muscles

Le muscle est fait d'une matière organique qui, par sa grande élasticité et son pouvoir de contraction, peut engager un mouvement ou le retenir. Plus de 650 muscles du corps ont une action sur le squelette, et l'appareil musculaire constitue environ 45 % de notre poids total.

Les muscles posturaux ou involontaires

Ces muscles sont appelés ainsi car on ne peut les contrôler consciemment. Ils fonctionnent par réflexe. Ils sont de couleur rougeâtre et ne se fatiguent jamais lorsqu'on en fait usage. Leur seule fonction est de nous maintenir droits. Ils sont situés principalement dans le torse. Le muscle car-

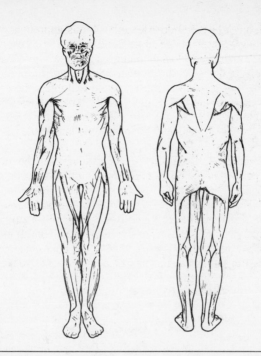

Figure 25 : L'appareil musculaire apparent du corps humain.

diaque, qui est involontaire, est partiellement strié, ainsi que certains muscles de la gorge et deux petits muscles de l'oreille interne, également incontrôlables.

Les muscles qui agissent sur le squelette, ou muscles volontaires

Comme leur nom l'indique, ces muscles, qui sont d'une couleur plutôt blanchâtre et d'apparence striée, sont presque tous rattachés aux os du squelette. Ils peuvent avoir deux points d'attache (le biceps, par exemple, relie l'omoplate au radius, sur l'avant-bras); ou ils peuvent mettre trois os en contact (comme c'est le cas du sterno-cléido-mastoïdien qui rejoint la tête, la clavicule et le haut du sternum).

La taille de ces muscles varie énormément. Certains sont énormes (comme les muscles fessiers) et d'autres minuscules (comme les petits muscles de l'oreille interne).

Les muscles volontaires nous permettent d'accomplir tous les mouvements que nous voulons, des plus amples aux plus minutieux. Ils agissent par contractions ou relâchements, permettant ainsi aux os auxquels ils sont rattachés de bouger. Mais au bout d'un moment d'effort, ils se fatiguent. Par exemple, si vous gardez le bras levé pendant plusieurs minutes, il va finir par vous faire mal.

Si nous avons recours à nos muscles volontaires au lieu de nos muscles posturaux pour nous tenir droits, par exemple, il est facile de comprendre que nous allons au devant de difficultés. A la longue, ces muscles se fatiguent et soit notre corps finit par s'effondrer, soit il lutte pour ne pas tomber et les douleurs qui nous sont familières finissent vite par se manifester.

La contraction musculaire

Il est important de noter que les muscles ne peuvent que tirer les os les uns vers les autres, mais non les éloigner les uns des autres. C'est pourquoi ils travaillent généralement de pair: l'un actionne le mouvement (celui qui se contracte), on l'appelle le muscle synergétique, tandis que l'autre (qui se détend doucement pour permettre un mouvement contrôlé) est appelé le muscle antagoniste. Naturellement, tous les muscles sont tour à tour synergétiques et antagonistes. Ils agissent en fait en alternance, et c'est ce qui leur donne leur tonicité. La seule partie du muscle qui ne se contracte pas est

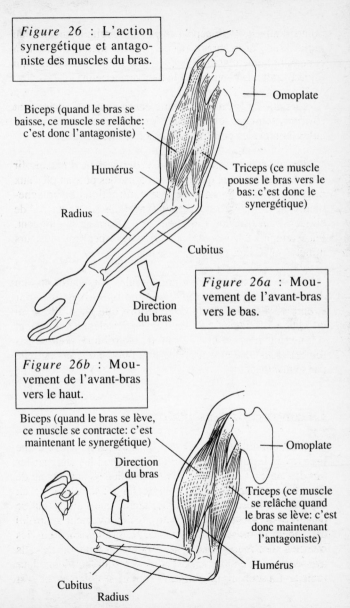

Figure 26 : L'action synergétique et antagoniste des muscles du bras.

Biceps (quand le bras se baisse, ce muscle se relâche: c'est donc l'antagoniste)

Omoplate

Humérus

Triceps (ce muscle pousse le bras vers le bas: c'est donc le synergétique)

Radius

Cubitus

Direction du bras

Figure 26a : Mouvement de l'avant-bras vers le bas.

Figure 26b : Mouvement de l'avant-bras vers le haut.

Biceps (quand le bras se lève, ce muscle se contracte: c'est maintenant le synergétique)

Direction du bras

Omoplate

Triceps (ce muscle se relâche quand le bras se lève: c'est donc maintenant l'antagoniste)

Humérus

Cubitus

Radius

la partie qui relie l'os et la fibre contractile, communément appelée le tendon.

Les muscles volontaires sont contrôlés par le cerveau qui coordonne tous les mouvements en se servant de l'information relayée par le muscle lui-même, ainsi que par l'œil et l'organe de l'équilibre situé dans l'oreille interne. Les muscles responsables de mouvements très précis, tels que ceux de la main, disposent d'un nerf pour quelques fibres seulement, tandis que les muscles générant de la force, tels que le grand fessier ou le quadriceps de la cuisse, ne disposent que d'un seul nerf pour un grand nombre de fibres musculaires.

Comment se contractent les muscles

Comme vous pouvez le voir sur la figure 27, les muscles sont constitués de faisceaux de tissus musculaires (les fibres) entourés d'un tissu fibreux appelé périmysium. Ces faisceaux sont eux-mêmes enfermés dans une membrane fibreuse appelée épimysium. Si on les examine attentivement, ces faisceaux de cellules nerveuses, qui peuvent mesurer jusqu'à 20 centimètres de long, sont chacun constitués de fibres musculaires, elles-mêmes constituées de cellules musculaires contenant une myofibrille. C'est à ce niveau cellulaire que les résultats de la pratique de la méthode Alexander peuvent être constatés.

Ces myofibrilles ont la propriété de se raccourcir lorsqu'elles sont stimulées chimiquement, ce qui se produit en réaction à un stimulus nerveux. Le processus chimique qui se produit dépend du type de muscle, mais le résultat est toujours le même: le raccourcissement des molécules de protéine.

Figure 27 : La structure d'un muscle volontaire.

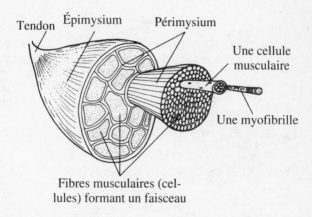

Tendon — Épimysium — Périmysium — Une cellule musculaire — Une myofibrille

Fibres musculaires (cellules) formant un faisceau

Si les muscles sont constamment en état de tension, le corps se départit d'un certain nombre de molécules de protéine, ce qui finit par réduire la longueur des myofibrilles. Et si la tension persiste sans être soulagée, cela entraîne finalement le raccourcissement de tout le muscle comme on peut le voir chez les personnes ayant une jambe plus courte que l'autre, ou celles dont la taille a diminué avec l'âge.

Penser en permanence à s'étirer et à s'élargir allonge les fibres musculaires et, au bout de quelque temps, cela permet de reconstituer les cellules de protéines perdues, allongeant de ce fait le ou les muscles concernés. Comme je l'ai déjà dit, beaucoup de gens ont déclaré avoir grandi de deux, trois centimètres, ou plus, après une pratique régulière de la méthode Alexander. Ce phénomène se produit après plusieurs semaines, voire plusieurs mois: il est progressif et très lent.

Il est important de noter que toute tension musculaire excessive est susceptible de faire bouger les os hors de leur place (pensez aux omoplates qui font une nette saillie dans le dos au lieu de reposer confortablement sur la cage thoracique), ce qui soumet les muscles alentour à un effort inutile. Ainsi, la trop forte tension d'un seul muscle est susceptible d'affecter l'ensemble de l'organisme.

Si la tension de ce muscle persiste et augmente, cela va influer sur les systèmes nerveux, digestif, respiratoire et circulatoire, ce qui nuira inévitablement aux fonctions naturelles.

Le système circulatoire
ou vasculaire

Ce système est constitué de tout un réseau d'artères, de veines et de vaisseaux dans lesquels environ 36 000 litres de sang sont pompés tous les jours. La longueur totale du réseau sanguin avoisine les 20 000 kilomètres, soit la distance à parcourir pour aller aux antipodes!

Les artères et les veines, tout comme les nerfs, sillonnent les muscles du corps ou les traversent. Ce ne sont pas des tuyaux rigides: elles peuvent se contracter et se dilater pour réguler le flot sanguin et le faire couler à la bonne pression. Si les muscles par lesquels passent des vaisseaux sanguins sont particulièrement contractés, cela perturbe évidemment le flux du sang, et le cœur doit fournir un effort plus important pour compenser cette déficience, ou certaines parties du corps seront privées des bienfaits du sang. Ces pressions excessives sur le système circulatoire jouent un rôle de premier ordre dans l'apparition de varices et même dans les accidents vasculaires.

Le système respiratoire

Un des points communs les plus notables, propre à presque tous les élèves que je rencontre, est leur manière parcimonieuse de respirer. En fait, la plupart des gens n'aspirent qu'un quart de l'air, seulement, que pourrait leur apporter une respiration «*normale*». L'adulte moyen respire environ 13 650 litres d'air par jour, et il est donc essentiel que son système respiratoire fonctionne de manière efficace. Voici pourquoi tant de gens ont une respiration atrophiée:

- Ils s'asseyent en se tassant sur eux-mêmes, ce qui comprime leurs poumons;

- Ils s'asseyent de manière rigide et leur cage thoracique est immobilisée comme dans un carcan;

- Ils contractent trop leurs muscles intercostaux (les muscles qui mettent les côtes en contact les unes avec les autres);

- Et ils raccourcissent leurs muscles du dos, ce qui empêche les côtes de s'écarter librement pour permettre aux poumons de se gonfler.

Exercice

1. Asseyez-vous sur une chaise et ne pensez qu'à votre respiration: d'où vient votre respiration? Est-elle profonde ou superficielle?

2. A présent, asseyez-vous en étant tassé sur vous-même, le plus avachi possible!

3. Respirez profondément et notez la quantité d'air que vous pouvez faire entrer dans vos poumons.

4. Cette fois, asseyez-vous de manière très rigide et très droite, étirez-vous pour être le plus droit possible.

5. De nouveau respirez profondément et notez la quantité d'air que vous pouvez faire entrer dans vos poumons.

6. Enfin, asseyez-vous d'une manière qui ne soit ni avachie, ni rigide, et respirez profondément.

7. Comparez les trois résultats: en principe, ils doivent être assez éloquents.

Cet exercice démontre clairement qu'une activité musculaire excessive (ou au contraire insuffisante) affecte directement le système respiratoire.

Le système digestif

Pour pouvoir exercer ses fonctions naturelles, le système digestif doit pouvoir compter sur les muscles du corps. Qu'il s'agisse des muscles de la mâchoire, qui permettent aux dents de bien mâcher la nourriture avant qu'elle ne soit avalée, ou des contractions musculaires (péristaltiques), qui la forcent à avancer dans le tube digestif. L'estomac lui-même est une grande poche musculaire. La tension excessive d'un seul muscle affectant, comme je l'ai dit précédemment, l'ensemble du système musculaire, le libre fonctionnement du processus de digestion, l'absorption et l'assimilation, dépend de la liberté globale de tout le système musculaire.

Le squelette

Les os sont constitués d'une matière extrêmement solide, qui peut rester intacte pendant des siècles. Alors, vous imaginez la force que doivent exercer les muscles lorsque deux os se contrarient et finissent par se tordre, comme peut le provoquer l'arthrite.

Comme tous les os du squelette sont connectés les uns aux autres par des muscles, si nous exerçons une trop forte tension sur l'ensemble de notre structure, en fait, nous faisons dévier certains os de leur place originelle, ce qui nuit à notre équilibre, à notre bonne coordination et, finalement, à tout notre bien-être, aussi bien physique que mental.

Le système nerveux

Le système nerveux, ou neurologique, consiste en un réseau de fibres nerveuses qui circulent depuis le cerveau ou la moelle épinière (appelés le système nerveux central) vers le reste du corps. La fonction de ce système est de convoyer des messages de et vers chaque partie de l'organisme.

Un grand nombre de fibres nerveuses passent entre les muscles, et entre les muscles et les os. Quand un muscle est soumis à une contraction permanente due au stress, le nerf se trouve comprimé par le muscle trop raide et cela provoque de fortes douleurs telles la sciatique. La douleur incite la personne à se contracter encore davantage et elle se trouve prise alors dans un cercle vicieux. Toute personne ayant vécu l'expérience d'un nerf coincé vous dira à quel point c'est douloureux.

> ## *Exercice*
>
> Pour constater à quel point un muscle peut devenir dur sous l'effet d'une contraction:
>
> 1. Tâtez votre biceps alors que vous avez le bras au repos.
>
> 2. Portez d'une main quelque chose de lourd (une chaise par exemple).
>
> 3. Notez la différence.

Les réflexes

L'acte réflexe est une des activités les plus simples du système nerveux. Il existe trois types de réflexes:

Les réflexes superficiels

Il s'agit des mouvements soudains et involontaires que nous faisons lorsque notre peau est légèrement caressée, piquée ou pincée.

Exemple: les mouvements des orteils sous le chatouillement de la plante du pied.

Les réflexes profonds

Ils dépendent de l'état permanent de contraction légère dans lequel sont les muscles lorsqu'ils sont au repos.

Exemple: le réflexe du genou qui se déclenche lorsqu'on donne un petit coup sec sur le tendon du muscle du genou.

Les réflexes viscéraux
Ce sont les actes réflexes des différents organes internes du corps.

Exemple: la pupille qui se rétracte sous l'effet d'une lumière vive.

Tous les actes réflexes se produisent sans qu'intervienne notre contrôle conscient. Cependant, dans certains cas, notre raison peut avoir une influence. Par exemple, si vous saisissez un plat brûlant, votre premier réflexe est de le lâcher et de le laisser tomber par terre, mais votre raison vous avertit immédiatement du gâchis que cela va faire et du nettoyage en perspective, et vous le posez très vite sur la table la plus proche. (A moins que le plat soit vraiment trop brûlant!) Il semble que chez les animaux, le pouvoir de l'acte réflexe soit beaucoup plus grand que celui de la raison. Par exemple, un chat poursuivi par un chien peut aussi bien traverser la rue dans sa fuite, sans prévoir les conséquences tragiques que cet acte pourrait avoir. Au contraire, un homme poursuivi calculera d'abord les avantages et les inconvénients du nouveau danger que représente la rue à traverser, avant de s'y lancer. Dans de nombreux cas, notre intelligence rationnelle s'avère plus judicieuse que nos réflexes.

Nous avons des réflexes car à chaque instant nous devons faire des milliers d'ajustements et il nous serait impossible de les faire tous consciemment. Nous pouvons, cependant, exercer différentes activités (telles que porter quelque chose, nous pencher en avant, marcher ou courir) qui pourraient nous faire perdre l'équilibre et nous faire tomber si notre système musculaire ne faisait constamment les ajustements nécessaires, dictés par nos réflexes.

Voici quatre exemples d'une mauvaise utilisation de soi pouvant affecter certains de nos réflexes majeurs:

Le réflexe de chute

Chaque fois que notre corps se trouve en déséquilibre et sur le point de tomber en arrière, un réflexe de peur, situé dans la zone du cou, entre en jeu. Et il se produit alors un phénomène assez proche de celui du tressaillement sous l'effet d'un grand bruit soudain. Il est intéressant d'observer que ce comportement ne se produit que dans les muscles du cou, et nulle part ailleurs. La tête part vers l'arrière tandis que les muscles du cou se raccourcissent et que les épaules se voûtent, une attitude, selon Alexander, commune à tout le genre humain. La réaction à cette impression de chute en arrière est logique: elle permet de protéger la partie la plus basse du cerveau, le cervelet et la moelle épinière, tout en protégeant le cordon médullaire. La moindre atteinte à l'une de ces zones peut rendre quelqu'un handicapé à vie. La plupart d'entre nous, cependant, ont ce réflexe à chaque fois qu'ils s'asseyent sur une chaise, car pour faire ce mouvement, nous avons tendance à basculer légèrement vers l'arrière.

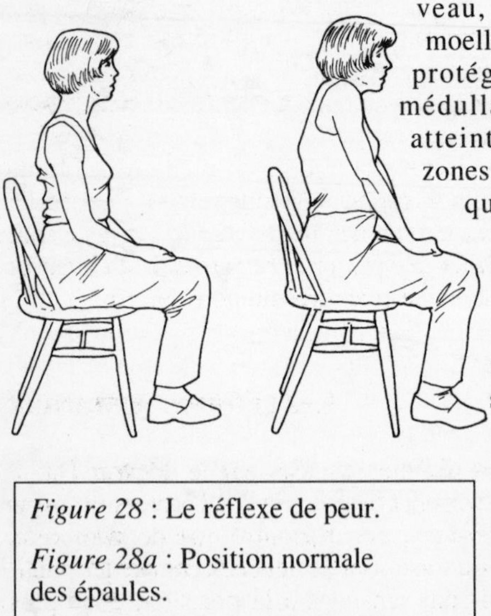

Figure 28 : Le réflexe de peur.

Figure 28a : Position normale des épaules.

Figure 28b : Le réflexe de peur.

Exercice

1. Placez les mains à l'arrière du cou de façon que vos deux majeurs se touchent.

2. Mettez-vous debout juste à côté d'un canapé, comme si vous étiez sur le point de vous asseoir.

3. Maintenant, asseyez-vous en tombant vers l'arrière, et notez la pression exercée sur vos mains.

Vous avez dû sentir les muscles de votre cou se raidir pendant cet exercice, c'est le réflexe de peur qui s'enclenche inutilement à chaque fois que nous nous asseyons ou nous nous levons, jusqu'à ce que cela devienne une habitude constante.

Le réflexe du genou

C'est sûrement le plus connu de tous les réflexes du corps. Les médecins le stimulent régulièrement pour tester notre système réflexe en donnant un petit coup sec juste sous la rotule. Cela permet de vérifier le réflexe qui fait avancer automatiquement la jambe et amorce un nouveau pas.

Les réflexes posturaux

Les expériences récentes menées par le docteur David Garlick, conférencier en physiologie à l'Université *«New South Wales»*, à Sydney, ont démontré que de nombreux muscles posturaux du torse sont déclenchés par des terminaisons nerveuses qui sont sensibles à la pression, donc plus nous exerçons un poids sur nos pieds, et mieux les muscles posturaux travailleront. (Ceci est vrai aussi pour la position assise si les plantes des pieds reposent sur le sol, mais à un degré moindre, bien sûr.) Toutefois, comme je l'ai dit précédemment, beaucoup de gens ne disposent pas leurs pieds correctement lorsqu'ils sont debout: ils ont tendance à reporter tout le poids du corps sur les talons ou au contraire sur les orteils, ou basculent tout leur poids alternativement d'un côté ou de l'autre.

Dans ces cas-là, la sensibilité des terminaisons nerveuses ne peut être stimulée, et les muscles posturaux nous permettant de nous tenir droits ne s'enclencheront pas automatiquement. Nous commençons alors à nous servir de nos muscles squelettiques , et comme ils se fatiguent vite, nous en venons rapidement à nous tasser sur nous-mêmes.

Une rééducation, appliquant les principes de la méthode Alexander, peut mettre en marche une amélioration de l'équilibre du corps, encourageant les muscles appropriés à fonctionner à bon escient.

Les réflexes des orteils

Entre les os du métatarse, dans le pied, à l'extrémité des cinq orteils, se trouvent quatre jeux de muscles auxquels sont reliées des terminaisons nerveuses qui actionnent les muscles de la jambe. Tout comme les réflexes posturaux, ces réflexes des orteils fonctionnent essentiellement lorsque nous sommes debout. Si, comme précédemment, le poids de notre corps n'est pas équitablement réparti sur tout le pied, ces réflexes ne fonctionneront pas de manière efficace, et une fois de plus, nous devrons faire appel à notre système volontaire qui demande beaucoup plus d'efforts.

Exercice

Vous pouvez très facilement vérifier ce réflexe vous-même:

1. Demandez à un ami de s'asseoir sur une chaise.

2. Veillez à ce qu'il soit assis bien droit. Posez une main sur l'un de ses genoux et faites bouger sa jambe d'un côté et de l'autre. Elle devrait normalement bouger assez facilement.

3. Maintenant, demandez-lui de se pencher vers l'avant afin de porter le poids de son corps sur ses pieds et non plus sur son bassin.

4. De nouveau, placez une main sur un de ses genoux et essayez de faire bouger sa jambe. Cette fois, ce ne devrait pas être aussi facile.

Comme un poids plus important repose sur les orteils, les terminaisons nerveuses, qui se trouvent entre les orteils, sont activées, ce qui provoque le raidissement des muscles de la jambe, prêts à enclencher la position debout.

«La méthode de Monsieur Alexander tient compte de l'individu dans son ensemble, comme un agent autovitalisant. Il reconditionne et rééduque les mécanismes réflexes, et les réhabitue à une relation normale avec le fonctionnement de l'organisme dans son ensemble. Je considère cette méthode comme étant profondément scientifique et excellente pour la santé.»

Professeur George E. Coghill, anatomiste et physiologiste.

Le réflexe d'étirement
par rapport à la méthode Alexander

Un réflexe d'étirement est la réaction d'un muscle qui se contracte lorsqu'il est étiré. L'étirement peut être causé par une stimulation, telle la pression vers le haut des disques intervertébraux de la colonne vertébrale, ou par une force externe, telle la gravité. La fonction du réflexe d'étirement est d'empêcher la dislocation de certaines parties du corps si elles sont soudain soumises, et par surprise, à une force qui les tire, comme le font les ceintures de sécurité.

En d'autres termes, si un bras est tiré dans le but de l'allonger, il se produira en fait l'effet contraire: il se raccourcira encore plus. Une traction peut-elle, dans certains cas, provoquer un raccourcissement de toute la structure? Le professeur Frank Pierce Jones écrit à ce sujet:

«La tendance du corps à se redresser pour s'allonger lui procure à la fois sa force et son élasticité. Si les disques intervertébraux se sont développés, les petits muscles attachés aux vertèbres ont dû, eux aussi, s'allonger, augmentant ainsi leur force. L'élongation et le renforcement, générés par les disques et les petits muscles des vertèbres, devraient être transmis aux muscles plus longs par des moyens purement mécaniques, et le processus se transmettre jusqu'aux muscles de surface. Le processus d'élongation et de renforcement est ensuite accentué par le mouvement. En faisant bouger le corps, ou l'un de ses membres, à l'encontre de la gravité, le travail des muscles élévateurs est facilité par l'étirement que leur fait subir le membre qui va se lever (un mouvement contre la gravité est facilité par la gravité elle-même). Par exemple, en quittant une chaise pour se lever, la tête, le cou et le dos s'avancent tout d'un bloc, sans perdre de leur longueur. Ce sont les muscles de la zone lombaire, les fesses et les cuisses qui s'étirent. Et quand l'élongation atteint un certain degré d'intensité, les muscles étirés se contractent par réflexe, durcissant l'articulation de la

hanche et étirant ensuite les muscles situés autour du genou.
Le corps se lève alors en douceur et facilement, sans effort
ou presque.»

Exercice

1. Asseyez-vous sur une chaise de cuisine.

2. Levez-vous comme vous avez l'habitude de le faire.

3. Rasseyez-vous comme vous le faites d'habitude.

4. Puis levez-vous de nouveau, mais cette fois, pensez à bouger votre torse d'une seule pièce depuis les hanches, avec une légère sensation de tomber de votre chaise vers l'avant.

5. Asseyez-vous en vous penchant vers l'avant, par le travail des hanches, avec toujours cette sensation de tomber vers l'avant.

Pratiquez cet exercice plusieurs fois et vous comprendrez mieux le sens des réflexes d'étirement.

Exercice

La plupart des gens améliorent leurs postures en utilisant leurs muscles volontaires plutôt que leurs muscles posturaux. Comme les muscles volontaires se fatiguent plus facilement, vous pouvez vérifier si vous non plus vous n'utilisez pas les bons muscles pour améliorer vos postures.

1. Mettez-vous debout ou assis face à un miroir, comme précédemment.

2. Y a-t-il quelque chose, dans votre posture, que vous aimeriez changer?

3. Dans ce cas, mettez-vous dans une position où vous vous sentiez vraiment bien.

4. Attendez quelques minutes pour savoir si certains de vos muscles commencent à se fatiguer. Si vous ressentez une fatigue, c'est que vous avez augmenté la tension musculaire pour améliorer votre position, au lieu de la relâcher.

13

LES MOYENS ET LES RÉSULTATS

«*Tant que l'on n'est pas réellement engagé, l'hésitation et la possibilité de se rétracter s'avèrent toujours inefficaces. En ce qui concerne tout acte de Création ou d'Initiative, il y a une vérité élémentaire qui, si on l'ignore, tue un nombre incalculable d'idées et de plans magnifiques: c'est l'engagement ferme de soi-même. Dès l'instant où l'on a pris cet engagement, la Providence vient à la rescousse. Toutes sortes de choses qui ne se seraient jamais produites viennent en aide à celui qui a pris son engagement. Tout un courant d'événements jaillit de la décision, des choses imprévisibles se passent et une sorte d'assistance matérielle se met en place, telle qu'on n'aurait jamais osé la rêver.*»

W. H. Murray

«*Tout ce que vous pouvez faire ou pensez pouvoir faire, faites-le. Il y a du génie, du pouvoir et de la magie dans l'audace. Commencez dès maintenant.*»

Goethe

Parvenir à ses fins

Ce qu'Alexander appelait «Parvenir à ses fins», nous l'appelons aujourd'hui *«Aller vers son but»*. C'est une approche fondamentale de notre système d'éducation.

«Donnez à un enfant le contrôle conscient de lui-même et vous lui offrez ainsi l'équilibre, le point de départ essentiel de l'éducation. Sans équilibre, un résultat que ne visent ni les anciennes méthodes d'éducation, ni les modernes, l'enfant sera déformé et privé de ses moyens par son environnement.»

Frederick Matthias Alexander

Les méthodes d'approche pour parvenir à ses fins, enseignées dans les écoles, semblent s'insinuer dans toutes les sphères de la vie. Tous les êtres humains essayent en permanence de rendre leur vie plus confortable et plus heureuse. Rien de plus naturel. Pourtant, il est certainement tout aussi naturel de considérer les conséquences des actes que nous accomplissons pour arriver à nos fins: autrement dit, de considérer les moyens par lesquels ce but peut être atteint. Si nous ne le faisons pas, nous coupons nous-mêmes la branche sur laquelle nous sommes assis. Réfléchissez juste un instant à la quantité considérable de pollution que nous générons chaque jour sur notre planète.

Les écologistes nous avertissent depuis longtemps des risques encourus, mais les populations n'en prennent réellement conscience que depuis quelques années. Nous reproduisons toujours les mêmes erreurs, et pourtant les conséquences de nos actes nous sont constamment rappelées. Nous entendons sans cesse parler de la détérioration de la couche d'ozone, menaçant toutes les espèces, y compris la nôtre.

N'est-il pas surprenant que l'homme ait autant de compétence au sujet de la nature et du fonctionnement des machines qu'il a créées, et qu'il en sache pourtant si peu sur les mécanismes de son propre organisme? Dans son dernier livre, Alexander a écrit:

> *«L'Homme sait tout des moyens par lesquels il peut garder une machine en bon état de marche, et il s'applique à en faire l'usage le mieux approprié, mais il ne sait pas grand-chose des moyens par lesquels il peut entretenir efficacement la machine humaine, c'est-à-dire lui-même. La grande majorité des gens n'ont pas encore pris conscience de la nécessité urgente et grandissante de connaître ces "moyens par lesquels...", et ils n'ont pas encore réalisé qu'ils étaient indispensables à un art de vivre sainement, dans le bonheur et l'harmonie, les uns avec les autres.»*

Les «moyens par lesquels...»

Naturellement, il nous est nécessaire d'avoir des buts dans la vie, et de les atteindre. C'est humain. Il s'agit de ce que nous faisons pour nous-mêmes et pour les autres, selon un processus que nous devons considérer. La manière dont nous menons nos activités quotidiennes est le reflet de ce que nous faisons pour la planète. Après tout, si nous ne nous respectons pas nous-mêmes, comment pourrions-nous respecter la planète sur laquelle nous vivons? Considérer les moyens par lesquels un but peut être atteint, c'est simplement prendre un moment, avant l'action, pour réfléchir au déroulement de la chose en question et à sa conclusion naturelle.

Essayer d'atteindre un but sans réfléchir à la meilleure façon de le mener à bon terme peut devenir une habitude, l'habitude d'une vie tournée vers l'avenir. Atteindre un but après en avoir considéré chaque étape d'une manière consciente nous encourage à rester dans le présent, et cela multiplie nos chances d'atteindre les buts que nous nous fixons.

Considérer *«les moyens par lesquels...»* ne veut pas dire être trop prudent ou timoré. Cela veut dire avoir du bon sens, et l'appliquer, en toutes circonstances.

Exercices

Il est facile de comprendre en quoi consistent la fin et les moyens:

1. Trouvez-vous un endroit spacieux tel qu'une grande pièce ou, mieux, le jardin.

2. Mettez-vous à une extrémité de la pièce ou du jardin, et choisissez un objet qui se trouve à l'autre bout, puis, sans réfléchir, allez toucher cet objet.

3. Recommencez la même chose, mais cette fois, avant de marcher vers l'objet, choisissez une façon de vous rendre jusqu'à cet objet.

4. Renouvelez plusieurs fois l'opération en choisissant chaque fois un trajet différent.

La première fois est le reflet de votre habitude, sans moyens conscients appliqués à l'action, mais les autres fois — et il peut y avoir des milliers de possibilités — correspondent à une réflexion consciente sur *«les moyens par lesquels...»*.

Lors de mes séances pratiques, lorsque je propose cet exercice aux participants, je suis toujours étonné de constater le nombre important de gens qui ne peuvent envisager plus de trois ou quatre façons d'atteindre le but.

Si vous avez vous aussi ce problème, voici quelques idées à appliquer à l'exercice ci-dessus:

Vous pouvez...

- courir

- marcher

- ramper

- sautiller

- glisser

- marcher sur la pointe des pieds

- taper des pieds

- sauter

- rouler des hanches

Puis, si vous prenez par exemple le mot *«marcher»*, vous pouvez le faire d'une multitude de façons.

Vous pouvez...

- marcher vite

- marcher à une allure moyenne

- marcher lentement

Avec de nombreuses variantes telles que:

- en ligne droite

- en suivant une courbe

- en zigzag

- en arrière

- en avant

- sur le côté

- en vous penchant de côté

- en vous penchant en avant

- en vous penchant en arrière

- en allant d'un côté à l'autre

etc.

Vous pouvez naturellement combiner plusieurs idées entre elles. Par exemple, vous pouvez marcher lentement sur la pointe des pieds, de côté, mais en ligne droite, tout en vous penchant en avant. Les combinaisons possibles sont infinies.

Un autre exercice est de penser à une façon complètement différente de vous mouvoir, non mentionnée ci-dessus. Si vous voulez observer un expert, observez votre enfant! Vous serez stupéfait de voir à quel point il change souvent de style de locomotion. Il marche, puis saute, puis glisse, puis court, tout cela d'un moment à l'autre.

Reprenez l'exemple de la marche. Notez de combien de façons vous pouvez vous rendre du **point A** au **point B**. Amusez-vous à réaliser qu'il existe des milliers et des milliers de possibilités.

Au début, vous arriverez rapidement à court d'idées, mais quand vous aurez un peu plus d'expérience, vous verrez que vous pouvez bouger votre corps d'une quantité de façons infinie.

Le problème, pour nous tous, c'est qu'afin de devenir plus conscients, nous devons commencer par changer notre manière de vivre. Nous devons appliquer les principes d'inhibition et nous rappeler sans cesse les instructions décrites précédemment, au lieu de continuer à nous laisser guider par le hasard, comme par le passé. Bien sûr, comme tous les processus d'évolution de la nature, ce processus va être lent et nous devons nous estimer heureux de constater un léger progrès de jour en jour. Cette lenteur peut facilement générer l'angoisse de savoir si nous sommes sur la bonne voie, même en sachant maintenant que ce que nous percevons comme juste est bien souvent faux. Cependant, avec de la patience, vous continuerez à vous améliorer en considérant consciemment les moyens par lesquels vous voulez accomplir vos activités quotidiennes.

14

METTEZ VOTRE DOS AU REPOS

«Une colonne vertébrale parfaite est un facteur de première importance pour préserver les différentes pièces de la machine humaine qui fonctionnent ensemble pour assurer au corps sa bonne santé. Et pourtant, assez rares sont les personnes dont la colonne vertébrale ne souffre d'aucune déviation, sous quelque forme et à quelque degré que ce soit, et qu'elles en soient conscientes ou non.»

Frederick Matthias Alexander

La colonne vertébrale

La colonne vertébrale, connue également sous le nom d'épine dorsale, est une partie très importante du squelette. Elle sert à la fois de pilier assurant le soutien de la partie supérieure du corps, et de gaine protectrice pour la moelle épinière et les nerfs qui en sont issus. La colonne vertébrale est constituée d'un certain nombre d'os posés les uns sur les autres, appelés «vertèbres». La présence de la moelle épinière, enserrée dans la colonne vertébrale chez les espèces animales les plus évoluées, leur permet d'être appelées «les vertébrés». Et de tous les vertébrés, l'Homme est le seul à pouvoir se tenir parfaitement droit. Cette particularité, hormis certains avantages distincts qu'elle procure, génère aussi certains problèmes dont le principal est celui de la gravité pesant sur une structure extrêmement instable puisqu'elle porte sur deux jambes au lieu de quatre.

La colonne vertébrale mesure environ 70 centimètres de long chez l'adulte. Les différences de poids dépendent essentiellement de la longueur des membres inférieurs. Trente-trois vertèbres constituent la colonne vertébrale, mais chez l'adulte, cinq d'entre elles sont soudées entre elles pour former le sacrum, et quatre autres pour former le coccyx. Le nombre effectif de vertèbres mobiles est donc de vingt-six seulement. Sur ces vingt-six vertèbres, sept se trouvent dans la zone du cou: on les appelle les vertèbres cervicales. Les douze suivantes, auxquelles sont rattachées les côtes, s'appellent les vertèbres dorsales. Et enfin les cinq dernières avant le sacrum sont appelés les lombaires. Ensuite viennent les neuf vertèbres qui forment le sacrum et le coccyx.

Une particularité importante de la colonne vertébrale, notamment chez les humains, est la présence de quatre courbes. Ces quatre courbes renforcent toute la structure de façon qu'elle puisse supporter plus de poids, et lui donnent cette élasticité qui permet aux organes internes de ne pas bouger dans le corps. Si ces courbes perdent de leur souplesse, ou si leur forme incurvée s'accentue, ce qui arrive le plus souvent, la colonne vertébrale perd certaines de ses propriétés. C'est-à-dire qu'elle va s'affaiblir et ne plus soutenir aussi efficacement les organes.

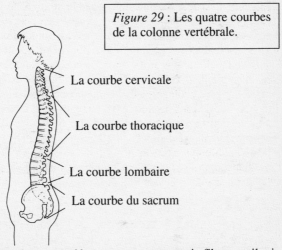

Figure 29 : Les quatre courbes de la colonne vertébrale.

La courbe cervicale

La courbe thoracique

La courbe lombaire

La courbe du sacrum

Entre chaque vertèbre se trouve une partie fibro-cartilagineuse appelée disque intervertébral. Chaque disque est constitué d'une partie externe, appelée l'*anneau fibreux* et d'une partie interne appelée le *noyau pulpeux* (nucleus pulposus).

L'anneau fibreux:

Cette partie du disque est constituée de fibres concentriques qui gardent le noyau en place lorsqu'il est soumis à une pression.

Le noyau pulpeux:

Cette partie centrale du disque est constituée d'une substance gélatineuse transparente. Elle contient en fait 88 % d'eau, et c'est elle qui amortit le poids du corps.

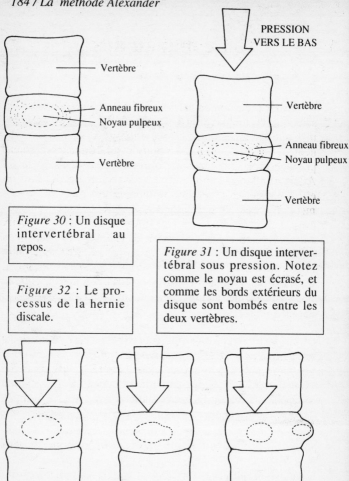

Figure 30 : Un disque intervertébral au repos.

Figure 32 : Le processus de la hernie discale.

Figure 31 : Un disque intervertébral sous pression. Notez comme le noyau est écrasé, et comme les bords extérieurs du disque sont bombés entre les deux vertèbres.

Une pression inégale et prolongée sur la colonne vertébrale peut entraîner un écrasement du disque situé entre deux vertèbres. A la longue, le noyau peut se partager en deux, et une des deux moitiés peut se loger sur le bord extérieur du disque, entrant ainsi en contact avec le nerf. Ce processus de la hernie discale provoque de très fortes douleurs.

Le mal au dos

Il existe de nombreuses sortes de douleurs dorsales: la sciatique, le lumbago ou la hernie discale, pour n'en nommer que quelques-unes. La majorité de ces douleurs viennent de troubles mécaniques ou de structure, directement provoqués par une mauvaise utilisation constante du corps. Avoir une façon habituelle de se mouvoir qui impose un effort énorme à la colonne vertébrale provoque un écrasement progressif du noyau du disque entre les deux vertèbres (voir figure 32). Les nerfs se trouvent coincés entre deux vertèbres, comme dans le cas de la sciatique, ou bien, sous l'effet d'une telle pression, le noyau peut être poussé contre la paroi externe de l'anneau fibreux, et finir par la percer. Cela est, naturellement, extrêmement douloureux, comme vous le confirmeront tous ceux qui ont souffert un jour d'une hernie discale.

Il existe une position qui supprime toute pression sur la colonne vertébrale et soulage de toute douleur venant de la zone lombaire (le siège de la douleur le plus fréquent), et qui vous évitera, à l'avenir, de souffrir du dos. Cette position s'appelle «la position couchée sur le dos».

La position couchée sur le dos

Cet exercice est souvent considéré comme le point d'orgue de la méthode Alexander. Il s'agit simplement de vous allonger sur le dos avec la tête en appui sur quelques livres, les genoux pliés, les pieds à plat sur le sol, et les mains reposant tranquillement de chaque côté du nombril (voir figure 33). Le nombre de livres à placer sous la tête varie d'une personne à l'autre, et même d'un jour à l'autre, dans certains cas.

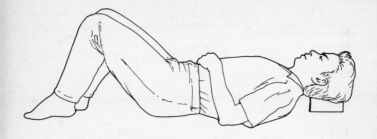

Figure 33 : La position couchée sur le dos est spécialement recommandée pour les douleurs du bas du dos.

Suivez scrupuleusement ces instructions pratiques:

1. Mettez-vous debout contre une surface plane, une porte par exemple.

2. Tenez-vous debout dans votre position normale (sans chercher à vous redresser), avec les fesses et les omoplates touchant la porte.

3. Demandez à quelqu'un de votre entourage de mesurer la distance qu'il y a entre la porte et l'arrière de votre tête.

4. Ajoutez deux centimètres et demi à cette mesure et vous devriez obtenir la hauteur de livres qui vous convient.

Ne l'oubliez pas : mieux vaut placer sous votre tête une épaisseur de livres trop grande que pas assez. Mais veillez toutefois à ce que votre respiration ne soit absolument pas gênée.

Ces livres servent à soutenir la tête et à éviter notre fâcheuse tendance à mettre la tête en arrière. Il faut noter, cependant, qu'en étant allongé ainsi, vous pouvez toujours tirer la tête en arrière.

Vous devez essayer de mettre la plus grande surface possible de plante des pieds en contact avec le sol, tout en ayant les genoux pointés vers le plafond. Les pieds doivent être le plus près possible des fesses, mais sans jamais que la position soit inconfortable. Vos jambes vont peut-être vouloir tomber l'une vers l'autre, ou au contraire s'écarter l'une de l'autre. Si cela vous arrive, suivez ces instructions:

1. *Si elles tombent l'une vers l'autre*, rapprochez un peu les pieds l'un de l'autre.

2. *Si au contraire elles s'écartent l'une de l'autre*, et ont tendance à tomber vers l'extérieur, écartez légèrement les pieds.

Cela permet de réduire au maximum toute tension musculaire dans les jambes.

L'idéal est d'avoir en contact avec le sol la plus grande surface de dos possible, mais veillez à ne rien faire pour qu'il soit plus plat. La raison des genoux pliés est de permettre à la zone lombaire d'être confortablement en appui sur le sol.

Comme la plupart d'entre nous ont les épaules rondes, le fait de poser les mains sur le ventre leur permet de se reposer naturellement vers l'arrière.

Essayez de consacrer au moins vingt minutes par jour à cette position allongée sur le dos. Au début, faites-le pendant cinq minutes, puis ajoutez une minute par jour, jusqu'à atteindre les vingt minutes bénéfiques. Pendant que vous êtes allongé, répétez-vous les instructions suivantes:

• Laissez votre cou reposer librement.

• Pensez à votre tête qui est surélevée (non par rapport au sol mais par rapport à votre colonne vertébrale).

- Laissez votre dos s'allonger et s'élargir.

- Pensez à vos épaules qui s'élargissent.

- Pensez à vos genoux pointés vers le plafond.

Pendant que vous êtes ainsi allongé sur le sol, essayez de prendre conscience de toute tension involontairement maintenue dans votre corps, et relâchez-la. Il est aussi utile et intéressant de prendre conscience de votre respiration. Demandez-vous:

- Est-ce que je ressens un mouvement, quel qu'il soit?

- Quelle est la profondeur de ma respiration?

- Ma cage thoracique bouge-t-elle?

- A quelle vitesse est-ce que je respire?

Comme je l'ai dit précédemment, n'oubliez pas qu'un changement profond et durable est le fruit d'un long processus, c'est pourquoi il faut être persévérant et patient. Prenez des notes à chaque fois.

Une réalité intéressante
à propos de la colonne vertébrale

Notre taille évolue entre le matin et le soir. Dans une même journée, nous pouvons perdre entre deux et trois centimètres, voire plus, mais nous les regagnons après une nuit de sommeil. J'ai eu un jour une élève, une sage-femme, chez qui cette particularité était très nette. Quand elle devait se présenter à un rendez-vous important, un entretien d'embauche par exemple, elle s'arrangeait toujours pour qu'il ait lieu le matin, afin de paraître plus grande!

Dans les années trente, un médecin de Budapest, le docteur De Puki, a mené une recherche sur la taille de 1 216 personnes âgées de 5 à 90 ans. Il les mesurait juste avant qu'elles se lèvent le matin, et juste avant qu'elles se couchent le soir. Il a découvert qu'il y avait, en moyenne, une différence de taille de 1,61 centimètre entre le matin et le soir. Ce qui représente approximativement 1 % de la taille du corps.

La raison principale de ce changement vient de la taille et de la forme des disques intervertébraux qui perdent, pendant la journée, une partie du fluide dont ils sont constitués, quand la colonne vertébrale est soumise aux pressions, et la reconstituent pendant la nuit, quand la colonne vertébrale est en position horizontale. Environ 90 % de ce fluide se reconstituent au bout de vingt minutes de position allongée. C'est pourquoi prendre le temps de s'allonger en milieu de journée régénère les disques et leur permet de travailler plus efficacement le reste du temps.

La diminution de la taille avec l'âge

◆ ◆ ◆

Avez-vous déjà remarqué que vos parents ou grands-parents semblaient «rétrécir» avec l'âge? Et c'est effectivement ce qui se passe. Un scientifique du nom de Junghanns a réalisé 1 142 dissections de colonnes vertébrales, et il a pu constater que l'épaisseur des disques intervertébraux diminuait avec l'âge.

- A la naissance, l'épaisseur du disque est la même que celle de la vertèbre.

- A l'âge de 10 ans, elle a déjà diminué de moitié par rapport à la vertèbre.

- A 24 ans, elle ne représente plus qu'un tiers de la vertèbre.

- A 60 ans, l'épaisseur du disque représente environ un quart de la vertèbre.

Jusqu'à l'âge de 20 ans, les os continuent à grandir, et la différence d'épaisseur du disque par rapport aux vertèbres n'est donc pas surprenante. Mais passé l'âge de 20 ans, il n'y a aucune raison pour que l'épaisseur des disques diminue, sauf s'ils sont soumis à une pression excessive due à une tension musculaire constante. Cette pression provoque une perte progressive du fluide contenu dans la matière fibro-cartilagineuse dont sont principalement constitués les disques. La colonne vertébrale est un système hydraulique qui fonctionne en absorbant et en évacuant de l'eau; elle peut absorber en fait jusqu'à vingt fois son volume d'eau. Vous comprenez certainement que si la taille des disques diminue, la colonne vertébrale ne peut fonctionner au maximum de ses capacités.

En vous allongeant régulièrement chaque jour pendant seulement vingt minutes, non seulement vous pouvez soulager ou prévenir le mal de dos, mais vous pouvez également maintenir vos disques intervertébraux en bon état pendant plus longtemps, ce qui vous permettra de vous mouvoir en produisant beaucoup moins d'efforts.

Exercice

1. Mettez-vous de côté, face à un miroir, et observez votre silhouette. Faites particulièrement attention aux courbes de votre dos.

2. Allongez-vous pendant quelques minutes.

3. Levez-vous et regardez-vous de nouveau dans la glace, toujours de côté. Pouvez-vous remarquer une différence?

La manière dont vous vous mettez en position allongée et dont vous vous relevez a aussi son importance. La figure 34 va vous aider à tirer le maximum de profit de ces séances.

Comment vous mettre en position allongée et vous relever ensuite.

Figure 34a : Choisissez une surface appropriée pour vous allonger (un tapis ou la moquette) et tenez en mains le nombre de livres qui vous convient (voir page 109).

Figure 34b : Gardez le torse en position verticale, avancez une jambe et mettez un genou au sol.

Figure 34c : Placez les livres à votre gauche ou à votre droite, à peu près à l'endroit où se trouvera votre tête.

Figure 34d : Appuyez vos mains sur le sol de façon à être «à quatre pattes».

Figure 34e : Redressez-vous de façon à être en équilibre à la fois sur vos mains et sur vos orteils.

Figure 34f : Posez vos jambes au sol, vos genoux tournés dans la direction opposée aux livres.

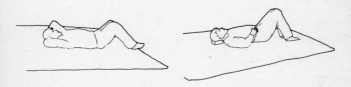

Figure 34g : Roulez doucement sur le dos, et ajustez confortablement les livres sous votre tête.

Figure 34h : Pliez les genoux et ramenez vos pieds le plus près possible des fesses, mais dans une position confortable. Laissez vos mains reposer sur le ventre.

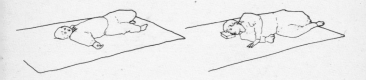

Figure 34i : Après être ainsi resté allongé pendant une vingtaine de minutes, réfléchissez un instant au côté vers lequel vous allez vous tourner pour vous relever, tout en préservant la longueur de la colonne vertébrale. Tournez les yeux dans la direction que vous aurez choisie, et laissez tomber les genoux dans cette direction.

Figure 34j : Laissez rouler tout votre corps.

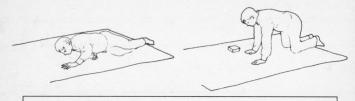

Figure 34k : Roulez jusqu'à être à plat ventre, en vous soutenant d'un bras et d'une jambe.

Figure 34l : Redressez-vous de façon à être de nouveau à quatre pattes.

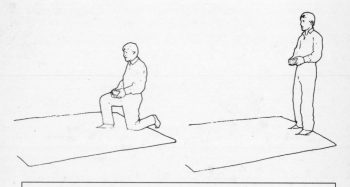

Figure 34m : Ramassez les livres, levez une jambe et posez le pied à plat sur le sol.

Figure 34n : En pensant à garder la tête dirigée vers le haut et vers l'avant, penchez-vous légèrement en avant et votre corps se remettra naturellement dans la position initiale, debout. Notez qu'il s'agit là d'une façon parmi d'autres de se relever, mais elle est utile au début. Il est aussi intéressant d'apprendre à suivre certaines instructions afin de vous faire prendre conscience de vos habitudes. Faites l'expérience de vous allonger en roulant d'un côté, puis de vous relever en roulant de l'autre.

15

EXPÉRIENCES VÉCUES

«Ce que vous tenteriez de faire si vous saviez que vous ne pouvez échouer.»

Dr Robert Schuller

Par leur expérience de la méthode Alexander, différentes personnes ont contribué à l'élaboration de ce chapitre. Elles décrivent elles-mêmes, avec leurs propres mots, les changements que cette expérience a générés dans leur vie.

Histoire de Christine Mills
Âge: 37 ans.
Profession: professeur/femme au foyer

En septembre dernier, mon fils de 5 ans a commencé l'école. Une fois passés les premiers jours où il s'est senti un peu triste et perdu, je me suis sentie libre de m'investir dans une foule d'activités nouvelles. Ces cinq dernières années, je m'étais intéressée aux médecines parallèles car mon fils souffrait d'asthme et d'eczéma. L'homéopathie a pris une place importante dans notre vie car elle a permis d'enrayer ces deux maladies.

Depuis, j'étais très curieuse de nouvelles thérapies et lorsque j'ai vu des cours du soir intitulés *«Les postures et la douleur»*, j'ai décidé de m'y inscrire. J'avais entendu dire que le but de ces cours était de venir à bout du mal de dos, et j'avais envie d'en savoir plus. Toutefois, je ne m'attendais pas à la révolution qu'ils allaient provoquer dans ma vie et dans mon être.

A la fin de ce même mois de septembre, embarquée déjà dans mes nouveaux centres d'intérêt, je me suis rendu compte que j'étais enceinte. Je n'ai pas vraiment ressenti de joie en apprenant cette nouvelle, plutôt une sorte de déception car j'allais perdre ma liberté nouvellement retrouvée, et la perspective d'avoir un enfant me faisait peur. J'ai passé quelques semaines dans un état d'esprit mitigé, puis j'ai commencé à me dire que c'était l'occasion pour moi de faire bien les choses, cette fois, et de me réjouir de cette grossesse, du plaisir de mettre un enfant au monde et de pouponner. Certains aspects de la méthode Alexander m'ont aidée à garder cette attitude positive.

L'un des aspects les plus importants pour moi, dans ces cours, a été la prise de conscience du concept d'«ici et maintenant». J'ai toujours été de ceux qui se penchent constamment sur leur passé ou se projettent dans l'avenir, souvent avec appréhension. J'ai commencé alors à prendre du plaisir à mon état de femme enceinte et j'ai cessé de m'inquiéter au sujet du passé ou de l'avenir. J'ai commencé à prendre le temps de me retrouver avec moi-même et jouir du simple fait d'exister, notamment pendant les vingt minutes quotidiennes préconisées pour libérer le dos de ses tensions musculaires inutiles. Pendant ces moments-là, j'étais capable d'oublier ma peur de l'accouchement qui était très forte en moi depuis la naissance traumatisante de mon fils, cinq ans plus tôt.

En fait, la peur, et la manière de lutter contre cette émotion, la plus destructrice de toutes, était un des principaux sujets émergeant de ces cours. J'ai réalisé que la peur et l'ignorance allaient de pair, et j'ai donc décidé de trouver le maximum d'informations possible sur la grossesse et l'accouchement. J'ai commencé à comprendre pourquoi ma précédente expérience avait été tellement traumatisante et douloureuse et je me suis mise à préparer l'accouchement idéal, chez moi. Beaucoup de gens ont essayé de m'en dissuader, mais pour la première fois de ma vie, j'avais senti monter en moi une profonde confiance qui, en tout cas à ce sujet, était inébranlable.

Un autre aspect des cours a été particulièrement bénéfique pour moi pendant cette grossesse: le travail sur la respiration. On nous a appris à prendre conscience de nos respirations respectives et de nos propres habitudes en ce domaine. Nous avions tous une respiration assez superficielle et rapide, et ces cours nous ont appris à respirer plus lentement et plus profondément, et à expirer de manière plus efficace. Pendant le travail de l'accouchement, j'ai pu contrôler de longues et douloureuses contractions en me concentrant sur cette méthode de respiration. Et pendant ma grossesse, cette méthode a également dû être bénéfique pour le bébé.

Prendre conscience de nous-mêmes et de nos mouvements, de nos postures dans le temps et l'espace, signifiait reconnaître les mauvaises habitudes, parfois douloureuses, que nous avions prises au fil des ans. Apprendre à ouvrir les portes de l'autre main ou à se relever de manière différente ont été des expériences salutaires. La plupart d'entre nous étaient incapables de passer de la position assise à la position debout sans lever la tête, imposant ainsi un effort inutile au cou et à la colonne vertébrale. Nous avons appris à nous lever en produisant moins d'effort musculaire, et aussi à nous asseoir, à marcher ou simplement nous tenir debout, et nous avons tous été surpris de constater comme ces différentes activités nécessitaient en fait si peu d'effort.

Au cours des séances suivantes, chacun de nous a reçu un «*traitement*» indiquant la façon de se relâcher et de ne pas faire souffrir inutilement les muscles. La plupart d'entre nous avaient gagné deux ou trois centimètres et je me sentais légère comme une plume, malgré mon énorme ventre. Pendant toute ma grossesse, je n'ai absolument pas souffert du dos. Nous avons appris à nous asseoir dans une position confortable et naturelle, sans avoir besoin de dossier pour nous soutenir le dos. Nous avons appris à nous tenir debout et à marcher en employant un effort musculaire minimum. Et en règle générale, nous avons appris à faire chacun de nos mouvements avec aisance, sans tension musculaire inutile.

J'ai mis ma fille au monde le 17 mars, sans trop d'effort. Le travail a duré environ une heure, et l'expulsion, environ dix minutes. Je n'ai eu besoin d'aucun médicament pour calmer la douleur car j'étais concentrée sur le processus de respiration lente, et en me concentrant sur moi-même, comme je l'ai indiqué plus haut, j'ai réussi à garder le contrôle tout au long de l'accouchement. J'ai mis au monde une petite fille heureuse et en bonne santé, et en la regardant évoluer aujourd'hui, j'en apprends constamment sur la liberté et l'aisance des mouvements.

Je n'ai décrit là que quelques-uns des aspects de la méthode Alexander, ceux qui ont fait sur moi la plus forte impression. J'ajouterai seulement que j'ai l'intention de continuer à étudier cette méthode, non seulement d'un point de vue physique, mais aussi en tant que philosophie de la vie.

Histoire d'Alan Capel
Age: 39 ans
Profession: conducteur de poids lourds

Je suis parti d'Angleterre en 1972, en auto-stop, en direction de l'Australie. Je n'avais ni carte ni assez d'argent, mais je disposais de nombreuses indications pour arriver là-bas. En tout, cela m'a pris quatre mois, et je ne suis rentré à la maison que deux ans plus tard. Ensuite, j'ai quitté Londres pour m'installer dans le sud du Devon.

Une fois installé, j'ai repris mon métier de transporteur, livrant du foin, de la paille ou de la tourbe aux habitants de ce magnifique coin de campagne. J'ai pris un appartement avec deux amis qui étaient mordus de surf, et j'ai vite été contaminé par leur passion. J'ai acheté ma première planche au début de l'année 1975, et à la fin de l'été de la même année, j'étais bel et bien accroché moi aussi.

Dix ans et des milliers de vagues plus tard, je conduisais toujours un camion pour gagner ma vie, mais alors, il avait dix-huit mètres de plus que mon premier camion. Au lieu des cent cinquante balles de paille que je livrais autrefois, j'en transportais maintenant huit cents! A la fin de l'été 85, mon camion était toujours vaillant, mais pas moi. En octobre, j'étais complètement coincé.

Ce qui avait commencé comme une petite douleur gênante derrière le genou droit s'était peu à peu transformé en sciatique chronique qui me faisait souffrir de la zone lombaire jusqu'au bout des orteils. Pour essayer d'amortir la douleur, j'avais pris l'habitude de recroqueviller mes orteils sous le pied, ce qui rendait ma démarche difficile et douloureuse, et surtout, j'étais devenu incapable de conduire un camion.

Toute mon éthique de vie, *«travail dur et plaisir fort»*, m'était soudain renvoyée au visage, et à ma grande stupéfaction, je ne comprenais pas pourquoi. Toutes les personnes vers lesquelles je me suis tourné pour chercher de l'aide ne savaient pas non plus.

Plus de travail. Plus de surf. Plus de réussites. Plus de fierté. Plus de satisfactions. Plus d'épanouissement. Pas de justification pour ma douleur. Juste cette douleur lancinante qui me privait de toute mon énergie vitale.

Daniel, mon fils aîné, alors âgé de 3 ans, ne comprenait pas pourquoi son papa ne chahutait plus avec lui comme avant, et à l'arrivée de son petit frère, en janvier 86, je cherchais désespérément la solution à mon problème. Six semaines après la naissance de Matthieu, je suis entré à la clinique orthopédique d'Exeter pour y subir *«la solution finale»*: une intervention chirurgicale sur ma hernie discale qui comprimait le nerf sciatique à la base de ma colonne vertébrale.

Deux semaines plus tard, j'étais de retour à la maison, dans un état encore pire qu'avant. Le chirurgien m'avait averti que mes disques étaient extrêmement fins. Il était clair, dans son esprit, que je devais souffrir beaucoup, mais il n'avait aucune solution à me proposer car cela dépassait ses compétences.

J'ai vu des médecins, des ostéopathes, des physiothérapeutes, des acupuncteurs, des kinésithérapeutes, des infirmières, des chirurgiens, même des rebouteux et des guérisseurs, mais aucun n'a pu me libérer de ma douleur. J'étais à bout.

C'est alors qu'un ami m'a conseillé de participer à des cours sur la méthode Alexander. Il était enthousiaste, mais je n'étais plus en état d'affronter encore une nouvelle médecine parallèle aux résultats plus qu'incertains.

Pourtant, je me suis finalement inscrit aux cours car je ne savais plus quoi faire. Personne ne m'a annoncé de miracle, mais de toute façon je n'en attendais aucun. Au bout de quinze leçons, j'ai commencé à constater de réels changements. Non seulement des changements par rapport à la diminution de ma douleur, mais également des changements situés à un niveau que je n'avais même jamais soupçonné jusqu'alors. La méthode Alexander vise à nous rééduquer sur notre manière d'utiliser notre corps et notre esprit. Cette méthode m'a permis de perdre les habitudes nocives qui avaient été à l'origine de ma sciatique et avaient fini par anéantir ma vie. La vraie liberté de choix est maintenant de nouveau entre mes mains.

Histoire de Joyce Ellis
Âge: 67 ans
Profession: professeur

Je suis restée en pleine forme jusqu'à l'âge de 58 ans où j'ai commencé à ressentir de fortes douleurs dans le dos. La douleur partait du bas du dos et descendait dans la jambe droite, jusqu'au pied et aux orteils. On m'a alors fait des radios qui ont révélé une scoliose (une déviation anormale de la colonne vertébrale) ayant provoqué une usure prématurée des quatrième et cinquième vertèbres lombaires. La seule chose qui soulageait ma douleur était un corset qui améliorait ma posture, temporairement et artificiellement.

Quand j'ai pris ma retraite à 62 ans, cela faisait deux ans que je souffrais bien moins, et j'ai décidé de ne plus mettre mon corset. Mais à ma grande déception, la douleur est très vite revenue, encore plus forte qu'avant, mais cette fois, elle descendait dans la jambe gauche. Mon mari et mon fils étaient tous deux médecins, mais ils n'ont rien pu faire pour soulager cette douleur, sauf me prescrire des analgésiques qui ne résolvaient en rien le problème. J'étais obligée de marcher avec une canne, ce que je détestais, et mon corset ne me soulageait plus aussi bien qu'avant. Mes doses d'anti-inflammatoires devenaient de plus en plus grandes, jusqu'à ce qu'on me propose le dernier traitement possible: l'intervention chirurgicale sur les disques abîmés. Une solution radicale et dont le succès n'était pas assuré.

Je voulais à tout prix éviter cette opération. Ma vie avait été totalement bouleversée. Je devais même dormir au rez-de-chaussée à cause de ma mobilité réduite. J'avais perdu toute confiance en moi. Je ne savais plus vers quoi me tourner.

C'est à cette époque que j'ai entendu parler de la méthode Alexander pour la première fois. J'ai commencé à suivre des cours au collège technique voisin et je prenais aussi des leçons particulières. En quelques semaines, ma mobilité s'était déjà considérablement améliorée, et j'avais retrouvé ma confiance en moi. En prenant quelques précautions raisonnables, ma vie était redevenue normale. Le stress induit par ma maladie a disparu et s'est transformé en un optimisme que j'avais connu autrefois mais avais depuis longtemps oublié. A ma grande surprise, même ma vue s'est améliorée et ma tension a diminué grâce à l'approche plus détendue de la vie que j'avais adoptée. Cette façon d'être totalement différente a non seulement eu un effet favorable sur mon état physique mais aussi sur mes relations avec ma famille et mes amis.

Cette attitude mentale positive a été presque plus utile que l'amélioration de ma condition physique et de ma mobilité, surtout par rapport à mon âge. La nécessité de m'adapter mentalement au fait que je ne pouvais plus être aussi alerte qu'avant a été très bénéfique. La méthode Alexander m'a offert la liberté de choix et une philosophie sage et saine de la vie.

Histoire de Caroline Green
Age: 27 ans
Profession: informaticienne

Quand j'ai découvert la méthode Alexander, au début de cette année, je souffrais de douleurs dorsales épisodiques, et d'une douleur dans le cou que je ressentais déjà depuis plusieurs années, depuis l'adolescence. Je n'arrivais pas à comprendre d'où venait le problème. Je mangeais bien, je méditais régulièrement et pratiquais même le T'ai Chi (une technique chinoise de prise de conscience des mouvements du corps). J'étais donc convaincue d'avoir de bonnes postures. Ces dernières années, j'avais également pris conscience de ma respiration trop rapide et trop superficielle, et d'un manque d'aisance dans tout le corps. Cependant, la conscience seule ne pouvait éradiquer le problème, donc aucun changement ne s'opérait et je me sentais de plus en plus amoindrie. Je n'avais pas réfléchi au fait que mon mode de vie et mon attitude générale envers la vie pouvaient faire partie du problème.

J'ai grandi dans une famille de six enfants. J'ai toujours bien travaillé à l'école et tout le monde s'attendait à me voir suivre une carrière brillante lorsque j'arriverais à l'âge adulte… L'argent et la réussite n'étaient-ils pas les deux clés pour un bonheur durable? En sortant de l'université, j'avais une maîtrise de philosophie et une maîtrise d'informatique. On ne m'avait jamais appris à explorer mes propres centres d'intérêt pour voir où ils m'auraient conduite. J'ai grandi, comme tant de gens, dans l'idée que l'argent et la réussite étaient les deux choses les plus importantes dans la vie, sans penser à être vraiment moi-même. Dans mon métier d'informaticienne, je suis allée de promotion en promotion, mais où était donc ce bonheur si souvent promis? Jour après jour, j'allais de plus en plus mal, car j'essayais éperdument d'être quelqu'un d'autre que simplement moi-même.

Après avoir essayé plusieurs médecines parallèles, j'ai entendu parler de la méthode Alexander. Au bout de quelques leçons, j'étais stupéfaite de l'effet remarquable des quelques mouvements simples et doux que m'avait montré mon professeur. Dès la fin de la première leçon, je me sentais plus légère, détendue et pleine d'énergie que je ne l'avais été depuis longtemps. Il m'a dit que je me sentirais toujours ainsi si mon corps n'était pas aussi crispé par toutes les tensions physiques résultant de mes mauvaises positions. J'ai réalisé assez vite que toutes ces habitudes venaient des attitudes émotionnelles et psychologiques malsaines que m'avait imposées la société. J'ai remarqué que j'avais une forte tendance à m'asseoir en me laissant tomber comme une masse et que mes épaules étaient voûtées, comme si elles voulaient se rejoindre. J'attribuais cela au manque de confiance en moi que j'avais toujours ressenti étant enfant. A mesure que j'apprenais à redresser le torse et élargir la poitrine, je commençais à avoir davantage confiance en moi, et peu à peu, au fil des leçons, d'autres changements psychologiques se sont produits en moi en même temps que des changements physiques.

J'avais commencé à comprendre comment fonctionnait mon corps, et à présent, quand je ressens une douleur quelque part, je considère cela comme un signal qui m'avertit de m'arrêter et d'écouter ce que mon corps essaye de me dire. J'ai appris à accomplir les tâches les plus simples d'une nouvelle façon, afin de ne pas faire subir à mon corps de tensions inutiles. J'ai toujours un peu mal au dos de temps en temps, mais je peux maintenant faire disparaître cette douleur en quelques minutes en m'allongeant comme il nous est recommandé de le faire. Comprendre que je n'étais pas victime de ma douleur et que je pouvais faire quelque chose pour m'en débarrasser a été une révélation pour moi. Je n'accepte plus les tensions et la douleur comme des phénomènes inévitables et j'ai ainsi beaucoup plus l'impression de contrôler ma vie.

J'ai réalisé que la société m'avait encouragée à avoir des postures rigides. J'ai encore aux oreilles la voix de mes professeurs me disant de me tenir droite, de mettre les épaules en arrière et de rentrer le ventre. Je sais qu'ils avaient les meilleures intentions du monde en disant cela, mais simplement, ils ne se rendaient pas compte du mal qu'ils faisaient involontairement. J'ai aussi reconsidéré ma conception de la réussite et j'ai modifié dans ma vie tout ce qui pouvait m'empêcher d'être moi-même.

J'ai choisi de pratiquer maintenant mon métier d'informaticienne à mon compte, et je suis aussi bien technicienne que consultante. J'adore avoir à trouver des idées plutôt que suivre celles des autres. Quand je pense aux différents postes que j'ai occupés auparavant, je me rends compte que j'ai toujours accepté des délais et des exigences impossibles car je manquais de confiance en moi. Dans le monde de l'informatique, les choses avancent à une vitesse vertigineuse. Dans ces conditions, il est difficile de garder l'esprit en paix à moins de s'arrêter de temps en temps pour considérer la situation en constante évolution. Rares sont les personnes qui s'obligent à cette prise de recul, ce qui génère un énorme gâchis financier chaque année.

En résumé, voici les bénéfices que j'ai tirés de la méthode Alexander: une amélioration spectaculaire de mes douleurs dorsales et des tensions dans le cou, un sentiment de bonheur qui s'affirme de jour en jour un peu plus, une sensation de liberté plus grande, une confiance en moi plus solide, et la capacité de faire de vrais choix dans ma vie. Je ne ressens pas ces bénéfices seulement dans ma vie professionnelle, mais aussi dans mes relations avec ma fille et mes amis.

Histoire de Susan Pearce
Age: 17 ans
Profession: étudiante

Il y a deux ans, j'étais sur le point d'entrer à l'hôpital pour y subir une grave opération. Les examens radiologiques avaient révélé la présence à la fois d'une scoliose (déviation de la colonne vertébrale vers la droite ou vers la gauche) et d'une lordose (déviation de la colonne vertébrale provoquant une cambrure exagérée du torse).

Curieusement, je ne souffrais pas physiquement, mais psychologiquement, cela me gâchait la vie. Les enfants à l'école sont souvent cruels entre eux, et ils m'avaient surnommée «la bossue». Toutes les nuits, je pleurais dans mon lit en pensant à ma situation. Un peu plus tard, les autres filles commençaient à avoir de petits «flirts», mais moi je me sentais seule et abandonnée de tous.

Les spécialistes m'ont dit alors que si rien n'évoluait dans les trois mois à venir, il faudrait m'opérer. Il s'agissait de placer une petite baguette métallique dans la partie inférieure de ma colonne vertébrale pour l'obliger à se tenir droite. Ensuite, il me faudrait rester dans le plâtre pendant au moins six mois. J'étais terrorisée.

Ma mère avait entendu parler de la méthode Alexander par une de ses amies qui donnait justement des cours. Tout d'abord, j'ai été sceptique, mais j'étais prête à tout essayer pour éviter l'opération.

A cause de la gravité de mon état, j'ai dû suivre trois cours par semaine au début. Très vite, j'ai remarqué une nette amélioration dans mon équilibre et ma coordination car je savais maintenant relâcher un grand nombre de tensions dans les jambes et dans les pieds. Des tensions dont je ne m'étais pas rendu compte. Peu à peu, j'ai commencé à comprendre ce qu'il m'était possible de faire pour moi-même.

Tout cela était un peu confus dans mon esprit au début, et puis soudain, les choses sont devenues claires pour moi.

Au bout de trois mois, après que les médecins m'eurent de nouveau fait passer des radios, ils ont été stupéfaits de constater l'amélioration incroyable de mon état. Ma «bosse» avait considérablement diminué et je me tenais beaucoup plus droite qu'avant. Ma scoliose aussi avait beaucoup diminué, et aujourd'hui, c'est à peine si on peut la remarquer. Inutile de dire que mon opération a été annulée, à mon grand soulagement, et que je mène à présent une vie parfaitement normale. Je n'aurais pas cru cela possible il y a seulement deux ans.

Histoire de Wendy Wright
Âge: 40 ans
Profession: professeur d'éducation physique

D'aussi loin que je me souvienne, j'ai toujours été forte en sport. Tous les sports: le volley, le basket, l'athlétisme… J'aimais tellement cela que lorsqu'est arrivé le moment de choisir une profession, le sport s'est naturellement imposé à moi, et je suis devenue professeur d'éducation physique.

J'adorais mon métier et il m'a terriblement manqué quand j'ai été obligée de l'arrêter pour avoir mon premier enfant. L'excitation, le frisson et le plaisir intense du jeu me manquaient énormément. Quand je jouais au basket, au tennis, ou quand simplement je courais, je sentais quelque chose se passer dans mon corps. Je me sentais vivante, libre, au point culminant du monde. Je me suis souvent demandé pourquoi je ne ressentais pas ces délicieuses sensations en accomplissant mes activités quotidiennes (qui étaient le plus souvent ennuyeuses et mondaines). Dans ma vie de tous les jours, j'étais souvent déprimée, mais jamais lorsque je pratiquais un sport. J'avais entendu parler de la méthode Alexander, comme ça en passant, mais lorsqu'une de mes amies a été soulagée de son mal de dos alors qu'aucun médecin ni aucun médicament n'avait réussi à le faire, j'ai été curieuse d'en savoir plus sur la question.

C'est donc la curiosité qui m'a mise à la recherche de mon premier professeur. Je ne ressentais aucune douleur et j'ai pensé que c'était peut-être une perte de temps. Mais peut-être aussi avais-je une chance de découvrir le moyen d'être aussi bien partout que sur un terrain de sport. Les «peut-être» m'ont rapidement agacée. Il fallait que je sache…

J'avais un emploi du temps très chargé à cette époque-là de ma vie. J'avais alors trois jeunes enfants et je ne pouvais plus me permettre d'aller aux séances d'entraînement nécessaires aux jeux d'équipe aussi souvent qu'auparavant. Je devais consacrer une grande part de mon temps à mes enfants. Toutefois, plus je passais de temps avec eux et plus les sentiments d'excitation et de liberté que me procurait le sport me manquaient.

J'ai donc mis de côté toutes les réserves que j'avais au sujet de la méthode Alexander, et j'ai pris ma première leçon. J'en suis sortie plus légère et plus libre que je ne l'avais été depuis longtemps.

Pourtant, au fil des leçons, je me sentais par moments heureuse et détendue, mais à d'autres moments confuse et agacée par les autres. On se permettait de me dire que j'utilisais trop les muscles de mes jambes. *«Depuis combien d'années je cours et j'apprends aux autres à courir?»* Il me fallait utiliser ces muscles, et à ma manière! Je me souviens avoir quitté un cours dans une colère noire et, en marchant vers ma voiture, avoir finalement ressenti la même sensation qu'en courant sur un terrain de sport.

Dès cet instant, je n'ai plus reculé. Cette sensation extraordinaire n'avait duré que quelques heures, cette fois-là, mais cela m'avait prouvé que c'était possible.

Aujourd'hui, la méthode Alexander fait partie intégrante de ma vie. Elle m'a aidée dans ma fonction de mère, d'épouse et de professeur. Cette technique n'est en rien, pour moi, quelque chose d'ésotérique ni un plus étrange pour les expériences ordinaires. Ce n'est pas une fantaisie réservée aux riches. Elle appartient à la structure même de la conscience humaine et au processus de la compréhension totale de soi-même: un droit dont tout un chacun dispose à la naissance.

TABLE DES MATIÈRES

Introduction   7

Pour commencer   9
  Un peu d'histoire   10
  La mise au point de la méthode   13
  L'enseignement de la méthode Alexander   14

La recherche commence   17
  Le «contrôle originel»   20
  La perception sensorielle erronée   23
  La direction à prendre   24
  L'inhibition   26

Pourquoi avons-nous besoin   29
de la méthode Alexander?

Les raisons pour lesquelles nous changeons   33
de positions avec l'âge

- les nombreuses heures passées assis à l'école   33
- le manque d'exercice plus tard   36
- nos réflexes de peur constamment stimulés   36
- la vitesse à laquelle nous devons souvent   37
  accomplir nos tâches
- les attitudes uniquement dictées   37
  par le but à atteindre
- un manque d'intérêt pour l'instant présent   37
- la création d'habitudes aussi bien physiques   37
  que mentales

En quoi consiste la méthode Alexander   43

- bouger avec plus d'aisance   44
- devenir plus conscient de vous-même: 45
  physiquement, psychologiquement et
  sur le plan des émotions
- prévenir les dommages causés à notre corps   45
- détecter et soulager les tensions musculaires   46
  excessives
- conserver toute son énergie en découvrant   47
  de nouvelles façons de se mouvoir
- reconnaître et modifier vos modes   48
  de comportement
- reconnaître et modifier vos manières   48
  d'agir habituellement
- retrouver la grâce des mouvements   49
  que vous adoptiez, enfant
- retrouver la liberté   50

En quoi consiste la méthode Alexander   52
Ce que la méthode Alexander n'est pas   53

En quoi la découverte d'Alexander 55
est d'actualité aujourd'hui
Les pressions de la vie quotidienne 56
- l'hypertension 57
- l'infarctus du myocarde 58
- les problèmes gastro-intestinaux 58
- les maux de tête 59
- les migraines 59
- l'insomnie 59
- l'arthrite 60
La prévention de la maladie 64

Pour commencer à nous aider nous-même 67
Conscience et observation 68
La station debout 71
- améliorez votre position debout 72
La position assise 76

Le mécanisme du mouvement 81
Le déséquilibre de la tête 84
L'instabilité de toute la structure humaine 85
Marcher 87
Ramasser quelque chose par terre 91
La position «avantageuse sur le plan mécanique» 92
Passer de la position debout à la position assise 94

Les perceptions sensorielles erronées 99
Le sens «kinesthésique» 102
Les bonnes et les mauvaises positions 103

L'inhibition 111
L'inhibition instinctive 113
L'inhibition consciente 114
L'évidence expérimentale 117

Diriger son corps   123
Les principales zones à diriger   124
   - libérez votre cou   125
   - laissez votre tête se diriger   125
    vers l'avant et vers le haut
   - laissez votre dos s'allonger et s'élargir   126
Les autres instructions   127
   - en étant assis   128
   - en étant debout   128
   - en marchant   129
L'incidence de la pensée sur notre fonctionnement   131

Les sens, les habitudes et les choix   135
Les habitudes   138
   - les habitudes conscientes   138
   - les habitudes inconscientes   139
   - les habitudes physiques, mentales   140
    et émotionnelles
Les choix   146

Les muscles et les réflexes   151
Les muscles   152
   - les muscles posturaux ou involontaires   152
   - les muscles qui agissent sur le squelette,   153
    ou muscles volontaires
   - la contraction musculaire   154
   - comment se contractent les muscles   156
Le système circulatoire ou vasculaire   158
Le système respiratoire   159
Le système digestif   160
Le squelette   161
Le système nerveux   161
Les réflexes   162
   - les réflexes superficiels   162
   - les réflexes profonds   162

- les réflexes viscéraux — 163
- le réflexe de chute — 164
- le réflexe du genou — 165
- les réflexes posturaux — 165
- les réflexes des orteils — 166
- le réflexe d'étirement par rapport
  à la méthode Alexander — 168

Les moyens et les résultats — 173
Parvenir à ses fins — 174
Les «moyens par lesquels...» — 175

Mettez votre dos au repos — 181
La colonne vertébrale — 182
Le mal de dos — 185
  - la position couchée sur le dos — 185
Une réalité intéressante à propos — 188
de la colonne vertébrale
La diminution de la taille avec l'âge — 189
  - comment vous mettre en position allongée — 191
  et vous relever ensuite

Expériences vécues — 197

◆ ◆ ◆

Au catalogue
Marabout

SANTÉ - FORME - SEXUALITÉ

Indispensables dans tous les foyers !
- *Des livres-conseils pour comprendre.*
- *Des guides pratiques pour agir.*

■ MÉDECINE - SANTÉ

- Pacout N.
  **Guide des premiers
  soins**
  GM106   40-0217-6   M4

- Pacaud G. - Gaillard A.
  Guide santé du voyageur
  2750   40-1353-8   M12

- Delahaye M.-C.
  **Le livre de bord de la
  future maman**
  2717   40-1604-4   M9

- Delahaye M.-C.
  **Le livre de bord de la
  future maman (édition
  cartonnée)**
  HC   40-0524-5   140FF

- Guérin S.
  **Questions de futures
  mamans**
  2760   40-1506-1   N

- Delahaye M.-C.
  **Le livre de bord de la
  femme**
  2721   40-0414-9   M9

- Cornic A.
  La médecine prédictive
  2710   40-0976-7   M9

- Dr Fieve R.R.
  **Prozac : questions et
  réponses**
  2752   40-1403-1   M7

■ MÉDECINES DOUCES

- Dr Maury E.A.
  **Dictionnaire familial
  d'homéopathie**
  2703   40-0508-8   M7

- Dr Pacaud G.
  **Se soigner seul par
  l'homéopathie**
  2727   40-1212-6   M9

- Dr Bourgarit R.
  **Soignez votre enfant
  par l'homéopathie**
  2716   40-0812-4   M6

- Dr Pacaud G.
  **L'homéopathie et les
  oligo-éléments pour les
  enfants**
  2728   40-1224-1   M7

- Dr Gary-Villet C.
  **Vaincre l'anxiété et le
  stress par l'homéopathie**
  2713   40-1061-7   M6

- Dr Moatti R.
  Les oligo-éléments
  GM35   40-4035-8   M6

- Mulot M.-A.
**Les 200 réponses de
l'herboriste**
2734   40-1339-7   M7

- Dr Maury E.A.
**Soignez-vous
par le vin**
2702   40-0521-1   M7

■ DIÉTÉTIQUES - RÉGIMES

- Dr Tarnower H. - Baker S.-S.
**"Scarsdale" régime
médical infaillible**
2706   40-2013-7   M6

- Leconte M.
**Maigrir avec les hautes
calories**
2700   40-3723-0   M6

- Nugon-Baudon L.
Toxic-bouffe
2757   40-1558-2   N

- Valmont A.
**Une santé de fer - Les vertus
de 34 fruits et légumes**
2749   40-1349-6   M6

■ FORME - MIEUX-ÊTRE

- Laty D.
  La gym au quotidien
  4119   40-0395-0   M7

- Klatzmann
  La marche pour être en forme
  4154   40-1059-1   M7

- Bury J.
  Je vis ma vie comme je vis mon corps
  3611   40-0990-8   M7

- Raisin L.
  Remodelez votre corps
  2730   40-1291-0   M7

- Raisin L.
  Remodelez votre corps au masculin
  2756   40-1560-8   N

- Corvo J.
  Le lifting au naturel
  2731   40-1292-8   M6

- Dr Pacaud G. - Fromond G.
  La colonne a bon dos : la méthode Mézières
  2753   40-1481-7   N

- Jouy A.
  Devenez l'artisan de votre santé
  2735   40-1340-5   M7

- Tietze H.
  Votre corps vous parle, écoutez-le
  3617   40-0907-2   M6

- Vasey Ch.
  Manuel de détoxication
  2725   40-1192-0   M7

- Dr Moatti R.
  Découvrez les bienfaits de la nutrithérapie
  2726   40-1193-8   M9

- Moatti R. - Musarella P.
  Vitalité à tout âge
  2724   40-1076-5   M12

- Dr Renaud J.
  Guide anti-stress
  4121   40-0400-8   M7

- Brockert S.
  Managez votre stress
  2729   40-1067-4   M7

- Dr Abrezol R.
  Vaincre par la sophrologie
  2754   40-1407-2   M7

- Dr Renaud J.
  Training cerveau
  4149   40-0894-2   M9

- Fanning P.
  Se guérir par la visualisation
  3610   40-0944-5   M9

IMPRIMÉ EN FRANCE PAR BRODARD ET TAUPIN
6463M-5 - Usine de La Flèche (Sarthe), le 26-10-1995

pour le compte des
Nouvelles Éditions Marabout
D.L. octobre 1995/0099/373
ISBN : 2-501-02284-X